MY LITTLE CHINESE PICTURE DICTIONARY

汉语图解小词典

英语版

吴月梅 编

商务印书馆
SINCE 1897 The Commercial Press
北京 BEIJING

汉语图解小词典

总 策 划　许　琳　王　涛
总 监 制　马箭飞　周洪波
监　　制　孙文正　张彤辉　王锦红

编　　者　吴月梅
审　　订　储诚志　遇笑容
Nicholas Richards　Read Taylor
责任编辑　华　莎　储丹丹

图文设计　陈晓庆

项目统筹　《汉语世界》杂志社

My Little Chinese Picture Dictionary

Publisher　Lin Xu　Tao Wang
Publishing Senior Supervisor　Jianfei Ma　Hongbo Zhou
Publishing Supervisor　Wenzheng Sun　Tonghui Zhang　Jinhong Wang

Author　Yuemei Wu
Reviewer　Chengzhi Chu　Hsiao-jung Yu
Nicholas Richards　Read Taylor
Executive Editor　Sha Hua　Dandan Chu

Art Design　Xiaoqing Chen

Project Management　The World of Chinese　http://www.theworldofchinese.com

前言

长期以来，外国朋友对汉语学习有一种误解，认为汉语难学。本词典用语义关联模式将汉语词语按照主题进行分类，以大量直观的图片来解释词语，帮助中小学生轻松学习汉语。

本词典以儿童人物“我”为线索，采用大场景或者连续小图的方式生动展现了少儿生活中的70个真实场景，涵盖性高，覆盖面广，涉及少儿生活的方方面面。每个场景包括15到20个词条，全书收集了近1400个词条。词条既注重词频，又注重实用性。词条使用简体汉字，有英语释义，汉字上面注有汉语拼音。拼音采取分字注音的原则，标变调，接近实际口语发音。有的场景将词条直接标在图中实物旁边，词语与实物对应，一目了然，方便学习者理解词义；有的场景则将词条顺序列出，与图中实物数标一一对应，这样有利于学习后的巩固和自测，学习者可以看图中实物试着说出汉语词条。

为了帮助学习者更好地掌握场景中出现的词条，每个场景还设有一个小贴士，内容有以下三类：

1. 场景会话 Practice This Conversation

主要介绍和场景相关的常用对话，对话使用词表中介绍的一些词语，加强学习者对这些词语的记忆。

2. 汉语这样说 Say in Chinese

主要适用于数字、时间、日期、钱币等主题，扩展性地介绍汉语中与这些主题相关的常见词语及其用法。

3. 语法点 Grammar Point

介绍基本句型和语法，每个语法点给出两三个例句。

为了方便学习，书后附有词表，按英文字母排序，提供所有词条的英文释义、拼音、汉字和页码，词表中还特别标出简体和繁体不同的词条。

根据学习者需求，本词典配有点读笔，学习者可以利用点读笔进行听说、跟读和听写等练习，以巩固已学知识，为词汇学习提供更多的帮助。

国家汉办/孔子学院总部对本词典的编写给予了大力支持，国内外许多专家对本词典的编写提出了很好的意见，在此表示真诚的谢意！

编者

2009年7月

Preface

The *My Chinese Picture Dictionary* series is designed to help students learn Chinese vocabulary words in a meaningful context through engaging illustrations. This *My Little Chinese Picture Dictionary* is specially designed for young Chinese learners and it targets primarily elementary and junior high school students.

My Little Chinese Picture Dictionary is presented from the perspective of a child, including 70 topics covering all aspects of a child's life through large scenes or related series of smaller pictures. Each topic focuses on 15 to 20 contextually-related words and phrases, and the whole dictionary includes about 1400 vocabulary words. These words and phrases have been selected because they are both high-frequency and age-appropriate. Each word or phrase is accompanied by a *pinyin* and an English translation. *Pinyin* is provided on a character-by-character basis, with tone changes presented to ensure that a reader understands the vernacular pronunciation of characters in context. In some cases, the vocabulary words are labeled right on the artwork. This design connects the vocabulary words directly with the real world objects and helps students learn new words easily. In other cases, the vocabulary words are listed by numbers which refer to the real world objects in the artwork. This is intended to encourage the students to match the words with the illustrations by number and further interact with the pages.

To provide the students additional opportunities to use the target words in an authentic context, each topic also includes one of the following features—Practice This Conversation, Grammar Point or Say in Chinese. Practice This Conversation features a short conversation that is related to the topic, serving as a way to encourage students to use the words in their own conversations. Grammar Point introduces basic grammatical structures with two or three examples to show how these structures are used in an everyday context. Say in Chinese is designed for topics such as numbers, time, the calendar and money etc., and provides additional useful phrases to learners. These features are effective tools to help the students use the target words to describe everyday life, as well as to practice conversations and grammar.

In addition, a word list at the end of the book, alphabetized by English meaning and including *pinyin*, Chinese characters and page numbers, allows readers to easily find the vocabulary words they need within the dictionary. *My Little Chinese Picture Dictionary* uses simplified characters, but the word list also provides the traditional version of each character in order to allow traditional character learners to use the dictionary easily. This dictionary is also equipped with a talking pen. Students can use the talking pen to hear the pronunciation of new vocabulary words within the dictionary. The pen also allows students to hear the Say in Chinese, Practice This Conversation and Grammar Point as a read-along.

My Little Chinese Picture Dictionary offers students multiple opportunities to see, use, hear and practice the new vocabulary words in context. We hope this dictionary will benefit the targeted Chinese language learners to the greatest possible degree.

Yuemei Wu
July 2009

目 录

Table of Contents

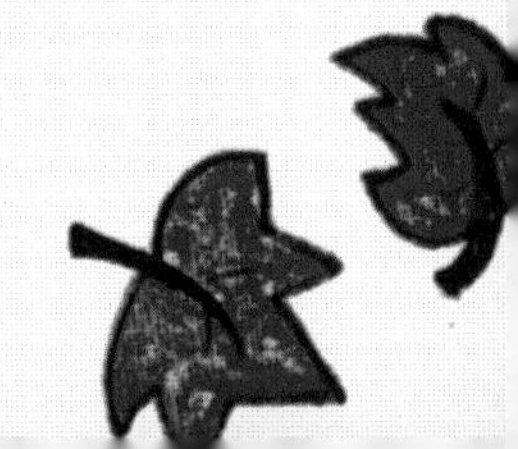

1 我 About me

Wang Xiao
王小
xìng
姓
family name
míng
名
given name
2003
June
16
nián
年 year
yuè
月 month
rì
日 day
shēng rì
生日
birthday
nán
男
male
nǚ
女
female
diàn huà hào mǎ
电话号码
phone number
zhù zhǐ
住址
address
6
nián líng
年龄
age
liù suì
六岁
six years old

Practice This Conversation

nǐ jiào shén me míng zi duō dà le
—你叫什么名字？多大了？
What's your name? How old are you?

wǒ jiào wáng xiǎo liù suì le
—我叫王小，六岁了。
My name is Wang Xiao and I am six years old.

2 我的家 *My home*

1 fáng zi 房子 house	6 yào shi 钥匙 key	11 wò shì 卧室 bedroom
2 yáng tái 阳台 balcony	7 chē kù 车库 garage	12 yù shì 浴室 bathroom
3 chuāng hu 窗户 windows	8 huā yuán 花园 garden	13 xǐ yī jī 洗衣机 washing machine
4 mén 门 door	9 yuàn zi 院子 yard	14 lóu tī 楼梯 stairs
5 suǒ 锁 lock	10 bō li 玻璃 glass	15 chú fáng 厨房 kitchen

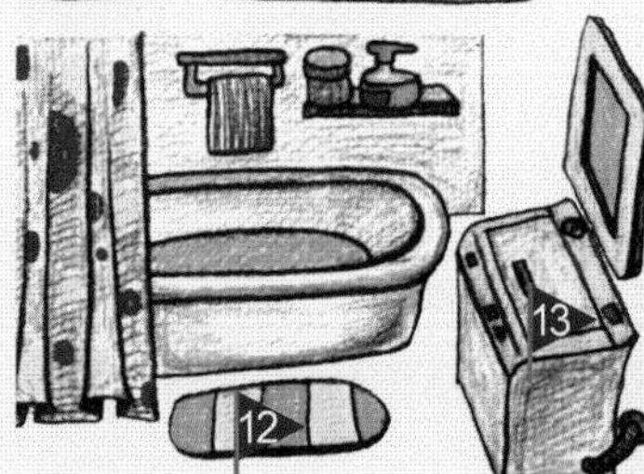

16 kōng tiáo 空调 air conditioner

17 fàn tīng 饭厅 dining room

18 diàn shì 电视 TV

19 yáo kòng qì 遥控器 remote control

20 kè tīng 客厅 living room

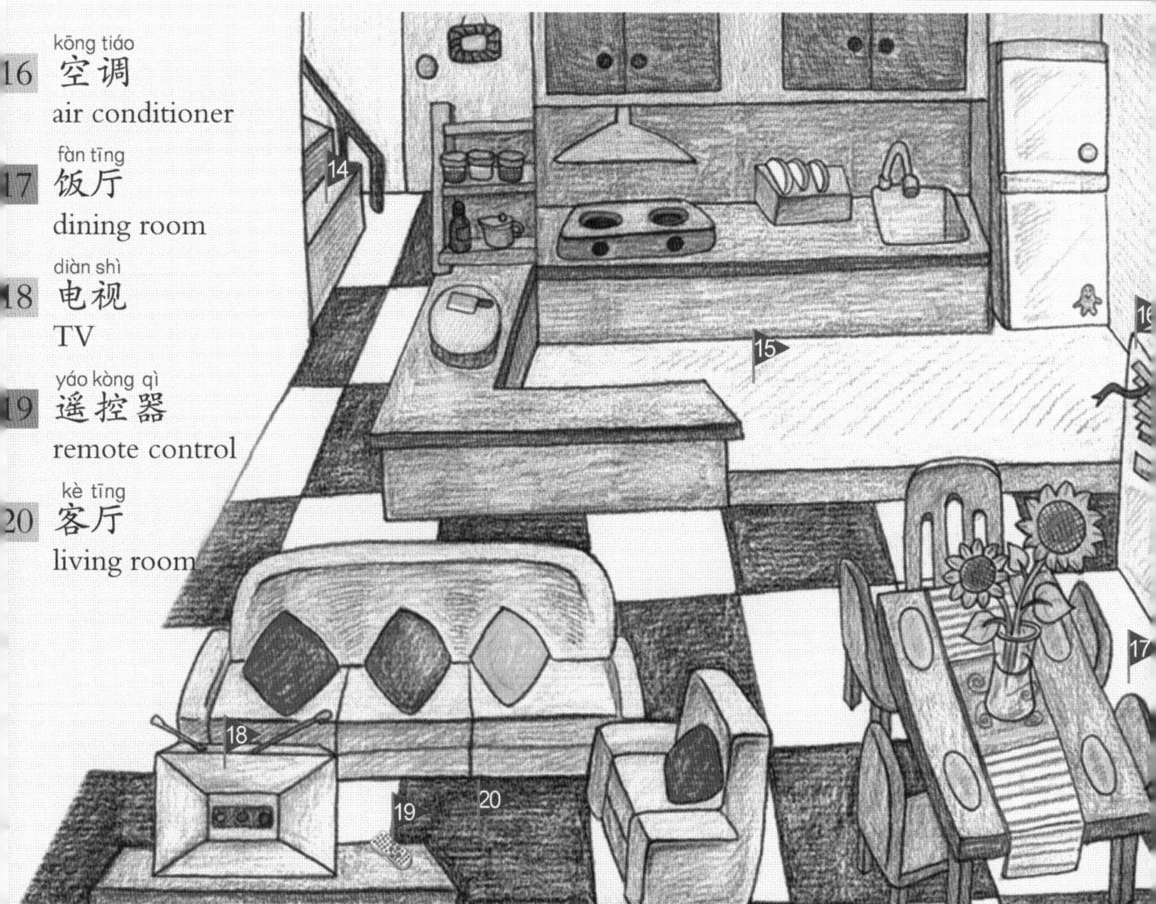

Grammar Point

yě
也 also, too

nǐ jiā de kè tīng hěn dà, fàn tīng yě hěn dà
你家的客厅很大，饭厅也很大。
The living room in your home is big. The dining room is also big.

zhè ge fáng zi hěn xiǎo, nà ge fáng zi yě hěn xiǎo
这个房子很小，那个房子也很小。
This house is small. That house is also small.

3 我的家人 My family

yé ye
爷爷
paternal grandpa

nǎi nai
奶奶
paternal grandma

shū shu
叔叔
uncle
(father's younger brother)

gū gu
姑姑
aunt
(father's sister)

bó bo
伯伯
uncle
(father's older brother)

bà ba
爸爸 dad

jiě jie
姐姐
older sister

gē ge
哥哥
older brother

lǎo ye
姥爷
maternal grandpa

lǎo lao
姥姥
maternal grandma

Practice This Conversation

nǐ jiā yǒu jǐ kǒu rén
—你家有几口人?
How many people are there in your family?

wǒ jiā yǒu sì kǒu rén
—我家有四口人,
bà ba mā ma dì di hé wǒ
爸爸、妈妈、弟弟和我。
There are four people in my family: Dad, Mom, my little brother and me.

mā ma
妈妈 mom

jiù jiu
舅舅
uncle
(mother's brother)

yí mā
姨妈
aunt
(mother's sister)

mèi mei
妹妹
younger sister

dì di
弟弟
younger brother

nǚ ér
女儿
daughter

ér zi
儿子
son

hái zi
孩子 kids

4 我爱爸爸妈妈 *I love Mom and Dad*

shēng wǒ
生 我
to give birth to me

bào wǒ
抱我
to carry me

gěi wǒ chàng yáo lán qǔ
给我唱摇篮曲
to sing a lullaby for me

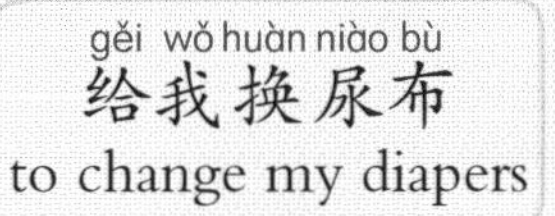

gěi wǒ huàn niào bù
给我换尿布
to change my diapers

qīn wǒ
亲我
to kiss me

hǒng wǒ shuì jiào
哄我睡觉
to get me to sleep

jiāo wǒ chuān yī
教我穿衣
to teach me how to put on clothes

wèi wǒ chī fàn
喂我吃饭
to feed me

gěi wǒ gài bèi zi
给我盖被子
to cover me with a quilt

gěi wǒ mǎi wán jù
给我买玩具
to buy me toys

dài wǒ kàn bìng
带我看病
to take me to see the doctor

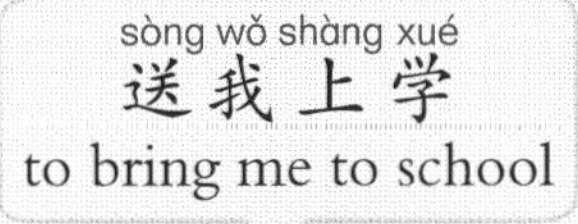

sòng wǒ shàng xué
送我上学
to bring me to school

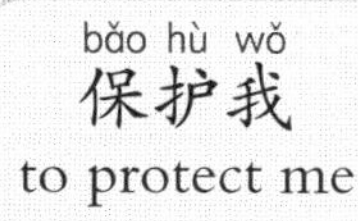

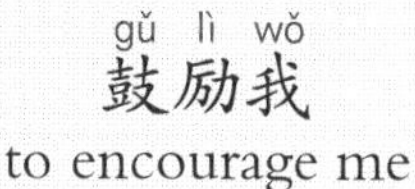

fǔ dǎo wǒ
辅导我
to tutor me

bāng zhù wǒ
帮助我
to help me

zhào gù wǒ
照顾我
to take care of me

jiē wǒ fàng xué
接我放学
to pick me up from school

wèi wǒ jiāo ào
为我骄傲
to be proud of me

Practice This Conversation

bà ba mā ma cháng dài nǐ qù nǎr wánr
—爸爸妈妈常带你去哪儿玩儿？
Where do your parents often take you to play?

tā men cháng dài wǒ qù nǎi nai jiā wánr
—他们常带我去奶奶家玩儿。
They often take me to my grandma's house to play.

5 我的房间 My room

1 dēng
灯
light, lamp

2 yī jià
衣架
hanger

3 shuì yī
睡衣
pajamas

4 shū jià
书架
bookcase

5 chā zuò
插座
socket

6 chā tóu
插头
plug

7 diàn xiàn
电线
wire

8 zhuō zi
桌子
table, desk

Practice This Conversation

zhè shì shéi de fáng jiān
—这是谁的房间?
Whose room is this?

zhè shì wǒ mèi mei de fáng jiān
—这是我妹妹的房间。
This is my younger sister's room.

9 yǐ zi 椅子 chair

10 zhěn tou 枕头 pillow

11 bèi zi 被子 quilt

12 tǎn zi 毯子 blanket

13 chuáng 床 bed

14 nào zhōng 闹钟 alarm clock

15 chuáng tóu guì 床头柜 bedside table

16 chōu ti 抽屉 drawer

17 tuō xié 拖鞋 slippers

18 dì tǎn 地毯 rug, carpet

19 shā fā 沙发 sofa

6 我的东西 My stuff

1 sǎn
伞
umbrella

2 xiàng liàn
项链
necklace

3 diàn nǎo
电脑
computer

4 guāng pán
光盘
compact disk

5 zá zhì
杂志
magazine

6 yī fu
衣服
clothes

7 líng shí
零食
snack

8 cān jù
餐具
tableware

9 wán jù
玩具
toy

10 bù wá wa
布娃娃
doll

11 wán jù xióng
玩具熊
teddy bear

12 shū
书
book

13 yóu xì jī
游戏机
video game console

14 shǒu biǎo
手表
watch

15 jī qì rén
机器人
robot

16 suí shēn tīng
随身听
portable music player

17 ěr jī
耳机
earphones

18 jī mù
积木
blocks

19 diàn chí
电池
battery

20 zhào piàn
照片
photo

21 xiàng cè
相册
photo album

Practice This Conversation

nǐ yǒu diàn nǎo ma
—你有电脑吗?
Do you have a computer?

yǒu zài wǒ de fáng jiān li
—有，在我的房间里。
Yes. It's in my room.

7 我的衣柜 *My closet*

1 duǎn kù 短裤 shorts

2 máo yī 毛衣 sweater

3 jiā kè 夹克 jacket

4 lā liàn 拉链 zipper

5 dà yī 大衣 coat

6 kù zi 裤子 pants

7 xù T恤 T-shirt

8 yùn dòng fú 运动服 sportswear

9 wéi jīn 围巾 scarf

10 nèi yī 内衣 underwear

11 mào zi
帽子
hat

12 niú zǎi kù
牛仔裤
jeans

13 pí dài
皮带
belt

14 xiào fú
校服
school uniform

15 qún zi
裙子
dress, skirt

16 wà zi
袜子
socks

17 shǒu tào
手套
gloves

18 xié
鞋
shoes

19 xuē zi
靴子
boots

20 chèn shān
衬衫
shirt

Practice This Conversation

jīn tiān nǐ xiǎng chuān shén me shàng xué
—今天你想穿什么上学?
What do you want to wear to school today?

wǒ xiǎng chuān qún zi shàng xué
—我想穿裙子上学。
I want to wear my skirt to school.

8 我的存钱罐 My piggy bank

rén mín bì
人民币
RMB

zǎn qián
攒钱
to save money

qián bāo
钱包
wallet

yìng bì
硬币
coin

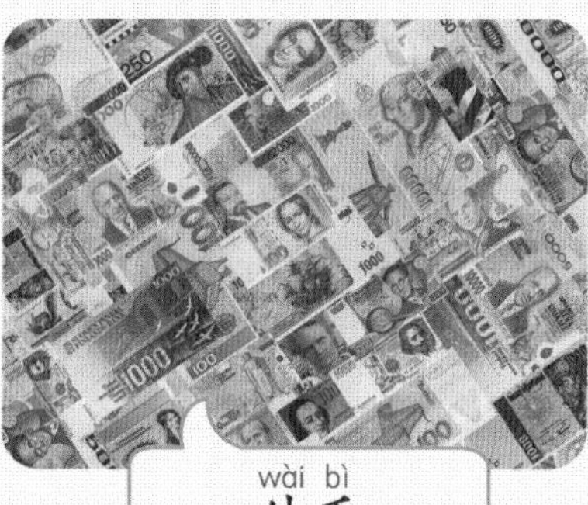

wài bì
外币
foreign currency

líng qián
零钱
small change

qián
钱
money

huā qián
花钱
to spend money

Say in Chinese

¥1.23	yí kuài liǎng máo sān fēn 一块两毛三分
¥19.05	shí jiǔ kuài líng wǔ fēn 十九块零五分
¥300.8	sān bǎi kuài líng bā máo 三百块零八毛
¥1,055	yì qiān líng wǔ shí wǔ kuài 一千零五十五块
¥5,781.46	wǔ qiān qī bǎi bā shí yī kuài sì máo liù fēn 五千七百八十一块四毛六分

yuán
元
yuan

kuài
块
kuai
(vernacular form of *yuan*)

jiǎo
角
jiao

máo
毛
mao
(vernacular form of *jiao*)

fēn
分
fen

yì yuán kuài
一元/块
one *yuan/kuai*

èr shí yuán kuài
二十元/块
twenty *yuan/kuai*

yì jiǎo máo
一角/毛
one *jiao/mao*

wǔ jiǎo máo
五角/毛
five *jiao/mao*

liǎng fēn èr fēn
两分/二分
two *fen*

wǔ fēn
五分
five *fen*

zhuō mí cáng
捉迷藏
hide and seek

jiǎ zhuāng
假装
to pretend

dàng qiū qiān
荡秋千
to swing

cáng
藏
to hide

zhǎo
找
to look for

guò jiā jia
过家家
make-believe

cāi yi cāi
猜一猜
to guess

wánr huá tī
玩儿滑梯
to slide

tī jiàn zi
踢毽子
to kick a shuttlecock

pào pao
泡泡
bubble

tiào shéng
跳绳
to jump rope

wánr shā
玩儿沙
to play with sand

qiāo qiāo bǎn
跷跷板
see-saw

hǎn
喊
to shout

fēi pán
飞盘
Frisbee

zhuī
追 to chase

shuǐ qiāng
水枪
squirt gun

tiào fáng zi
跳房子
hopscotch

wánr huá bǎn
玩儿滑板
to skateboard

qí chē
骑车
to ride a bicycle

pīn tú
拼图
puzzle

Practice This Conversation

zuó tiān nǐ hé péng you zuò le shén me
—昨天你和朋友做了什么?
What did you do with your friend yesterday?

wǒ men wánr le zhuō mí cáng
—我们玩儿了捉迷藏。
We played hide and seek.

10 我的宠物 My pets

1. yīng wǔ 鹦鹉 parrot
2. chì bǎng 翅膀 wing
3. niǎo lóng 鸟笼 bird cage
4. wū guī 乌龟 turtle
5. māo 猫 cat
6. lǎo shǔ 老鼠 mouse
7. gǒu 狗 dog
8. gǒu wō 狗窝 doghouse
9. gěi tā wèi shí 给它喂食 to feed it
10. shòu yī yuàn 兽医院 animal hospital
11. shòu yī 兽医 vet
12. zhuā 抓 to catch
13. tiǎn 舔 to lick

14 yú gāng
鱼缸
fish tank

15 jīn yú
金鱼
goldfish

16 bāng tā huàn shuǐ
帮它换水
to change its water

17 gěi tā xǐ zǎo
给它洗澡
to bathe it

18 xùn liàn tā
训练它
to train it

19 dài tā sàn bù
带它散步
to take it for a walk

20 hé tā wánr
和它玩儿
to play with it

Practice This Conversation

nǐ yǎng méi yǎng chǒng wù
—你养没养宠物?
Do you have any pets?

yǎng le, wǒ yǎng le yì zhī xiǎo gǒu
—养了，我养了一只小狗。
Yes. I have a puppy.

11
我住的城市 Around town
huǒ chē zhàn
火车站
train station
fēi jī chǎng
飞机场
airport
xiāo fáng zhàn
消防站
fire station
lǚ guǎn
旅馆
hotel
gōng ān jú
公安局
police station
HOTEL
shāng diàn
商店
shop
diàn yǐng yuàn
电影院
movie theatre
MOVIE
yòu ér yuán
幼儿园
nursery, kindergarten

Practice This Conversation

nǐ zhù zài nǎ ge chéng shì
—你住在哪个城市？
What city do you live in?

wǒ zhù zài běi jīng
—我住在北京。
I live in Beijing.

12 我的国家和语言 *My country and language*

é luó sī 俄罗斯	Russia
é luó sī rén 俄罗斯人	Russian people
é yǔ 俄语	Russian (language)

dé guó 德国	Germany
dé guó rén 德国人	German people
dé yǔ 德语	German (language)

fǎ guó 法国	France
fǎ guó rén 法国人	French people
fǎ yǔ 法语	French (language)

zhōng guó 中国	China
zhōng guó rén 中国人	Chinese people
hàn yǔ 汉语	Chinese (language)

rì běn 日本	Japan
rì běn rén 日本人	Japanese people
rì yǔ 日语	Japanese (language)

měi guó 美国	USA
měi guó rén 美国人	American people
yīng yǔ 英语	English (language)

mò xī gē 墨西哥	Mexico
mò xī gē rén 墨西哥人	Mexican people
xī bān yá yǔ 西班牙语	Spanish (language)

Practice This Conversation

nǐ shì nǎ guó rén huì shuō shén me yǔ yán
—你是哪国人？会说什么语言？
Which country are you from?
What languages can you speak?

wǒ shì rì běn rén huì shuō rì yǔ yīng yǔ hé hàn yǔ
—我是日本人，会说日语、英语和汉语。
I'm Japanese. I can speak Japanese, English and Chinese.

13 我的样子 My appearance

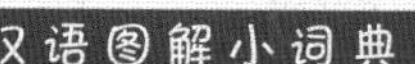

duǎn fà
短发
short hair

cháng fà
长发
long hair

juǎn fà
卷发
curly hair

biàn zi
辫子
braids

zhí fà
直发
straight hair

yǎn jìng
眼镜
glasses

Practice This Conversation

nǐ dì di zhǎng shén me yàng
—你弟弟长什么样?
What does your younger brother look like?

tā gè zi gāo gāo de tóu fa duǎn duǎn de
—他个子高高的，头发短短的。
He is tall and his hair is short.

14 我的身体 *My body*

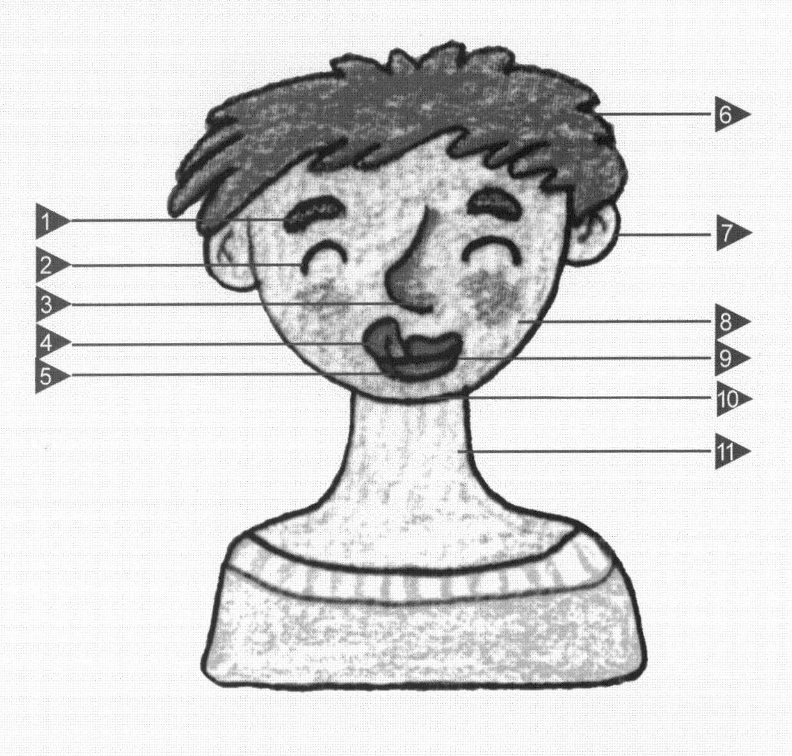

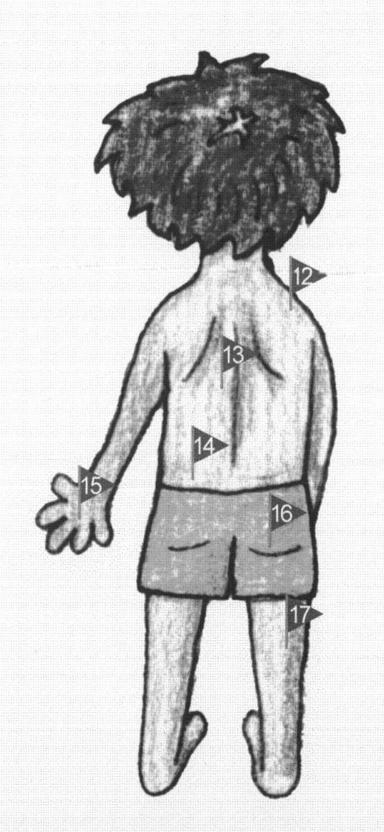

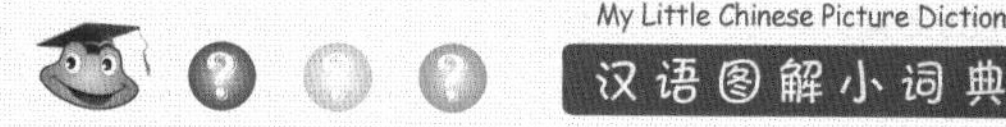

No.	Pinyin	Chinese	English
1	méi mao	眉毛	eyebrow
2	yǎn jing	眼睛	eye
3	bí zi	鼻子	nose
4	shé tou	舌头	tongue
5	zuǐ chún	嘴唇	lip
6	tóu fa	头发	hair
7	ěr duo	耳朵	ear
8	liǎn	脸	face
9	zuǐ	嘴	mouth
10	xià ba	下巴	chin
11	bó zi	脖子	neck
12	jiān bǎng	肩膀	shoulder
13	bèi	背	back
14	yāo	腰	waist
15	shǒu	手	hand
16	pì gu	屁股	buttocks
17	tuǐ	腿	leg
18	xiōng	胸	chest
19	gē bo	胳膊	arm
20	shǒu zhǐ	手指	finger
21	dù qí	肚脐	bellybutton
22	dù zi	肚子	tummy
23	xī gài	膝盖	knee
24	jiǎo zhǐ	脚趾	toe
25	jiǎo	脚	foot

Grammar Point

dōu
都 both, all

zhè zhī gǒu de bí zi hé ěr duo dōu hěn dà
这只狗的鼻子和耳朵都很大。
This dog's nose and ears are both big.

zhè ge nǚ hái zi de tóu fa yǎn jing hé zuǐ ba dōu hěn kě ài
这个女孩子的头发、眼睛和嘴巴都很可爱。
This girl's hair, eyes and mouth are all lovely.

15 我的动作 My actions

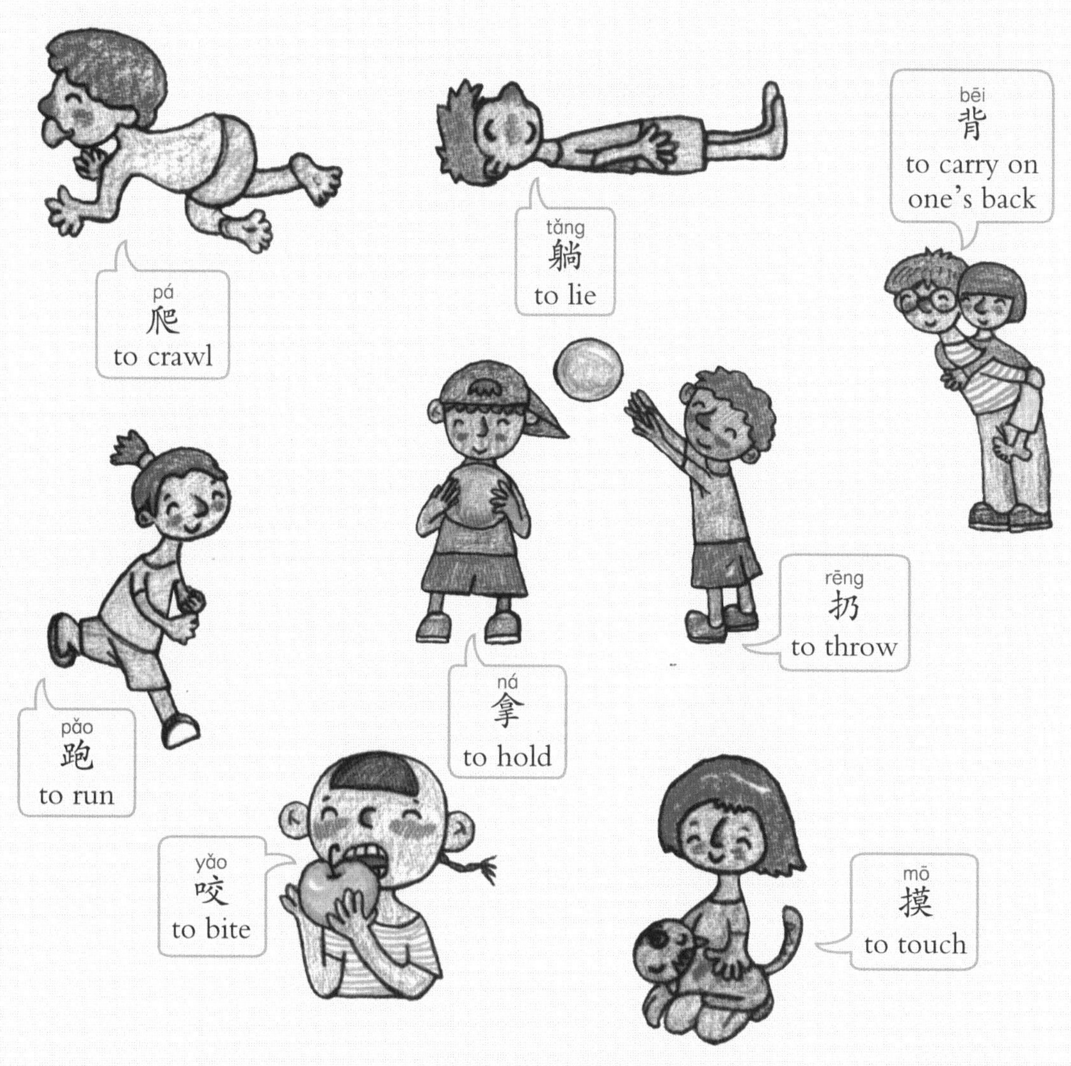

Grammar Point

The Complement of Directions

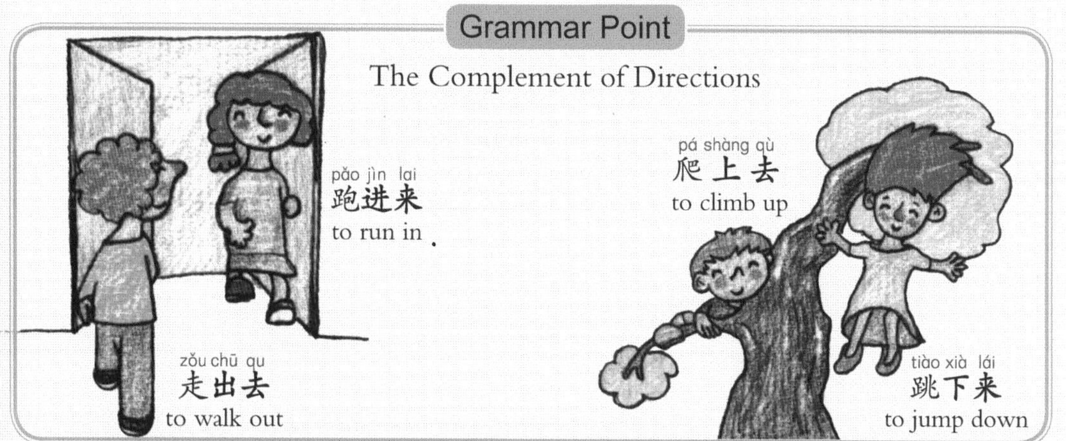

16 我的爱好 *My hobbies*

chàng gē
唱歌
to sing

tīng yīn yuè
听音乐
to listen to music

tiào wǔ
跳舞
to dance

kàn shū
看书
to read a book

dǎ lán qiú
打篮球
to play basketball

tī zú qiú
踢足球
to play soccer

kàn diàn shì
看电视
to watch TV

tán gāng qín
弹钢琴
to play piano

jí yóu
集邮
to collect stamps

xià qí
下棋
to play chess

huà huàr
画画儿
to draw

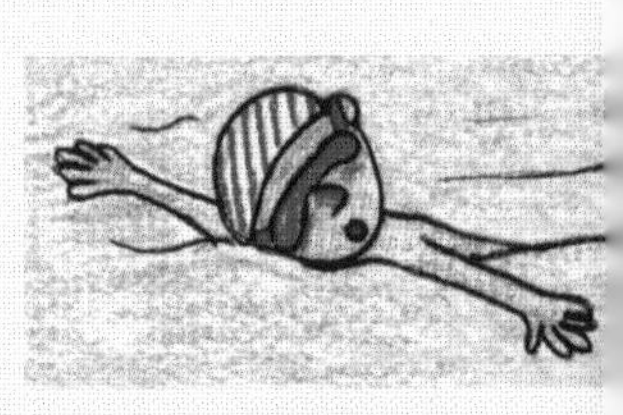

yóu yǒng
游泳
to swim

qí mǎ
骑马
to ride a horse

huá hàn bīng
滑旱冰
to roller skate

gōng fu
功夫
kung fu

shè yǐng
摄影
to take photos

wánr yóu xì
玩儿游戏
to play games

shàng wǎng
上网
to go online

Grammar Point

dàn shì
但是 but

wǒ bù xǐ huan huà huàr dàn shì xǐ huan chàng gē
我不喜欢画画儿，但是喜欢唱歌。
I don't like drawing, but I like singing.

wǒ péng you bù xǐ huan dǎ lán qiú dàn shì tā xǐ huan zhōng guó gōng fu
我朋友不喜欢打篮球，但是他喜欢中国功夫。
My friend doesn't like playing basketball, but he likes Chinese kung fu.

17 我的性格 *My personality*

huó pō
活泼
vivacious

ān jìng
安静
quiet

zì xìn
自信
confident

kāi lǎng
开朗
broad-minded and outspoken

yǒu hǎo
友好
friendly

dà dǎn
大胆
bold

wài xiàng
外向
extroverted

lè guān
乐观
optimistic

nèi xiàng
内向
introverted

Practice This Conversation

nǐ mèimei de xìng gé zěn me yàng
—你妹妹的性格怎么样？
What is your younger sister's personality like?

tā bǐ wǒ wài xiàng
—她比我外向。
She is more extroverted than me.

18 我的心情 My feelings

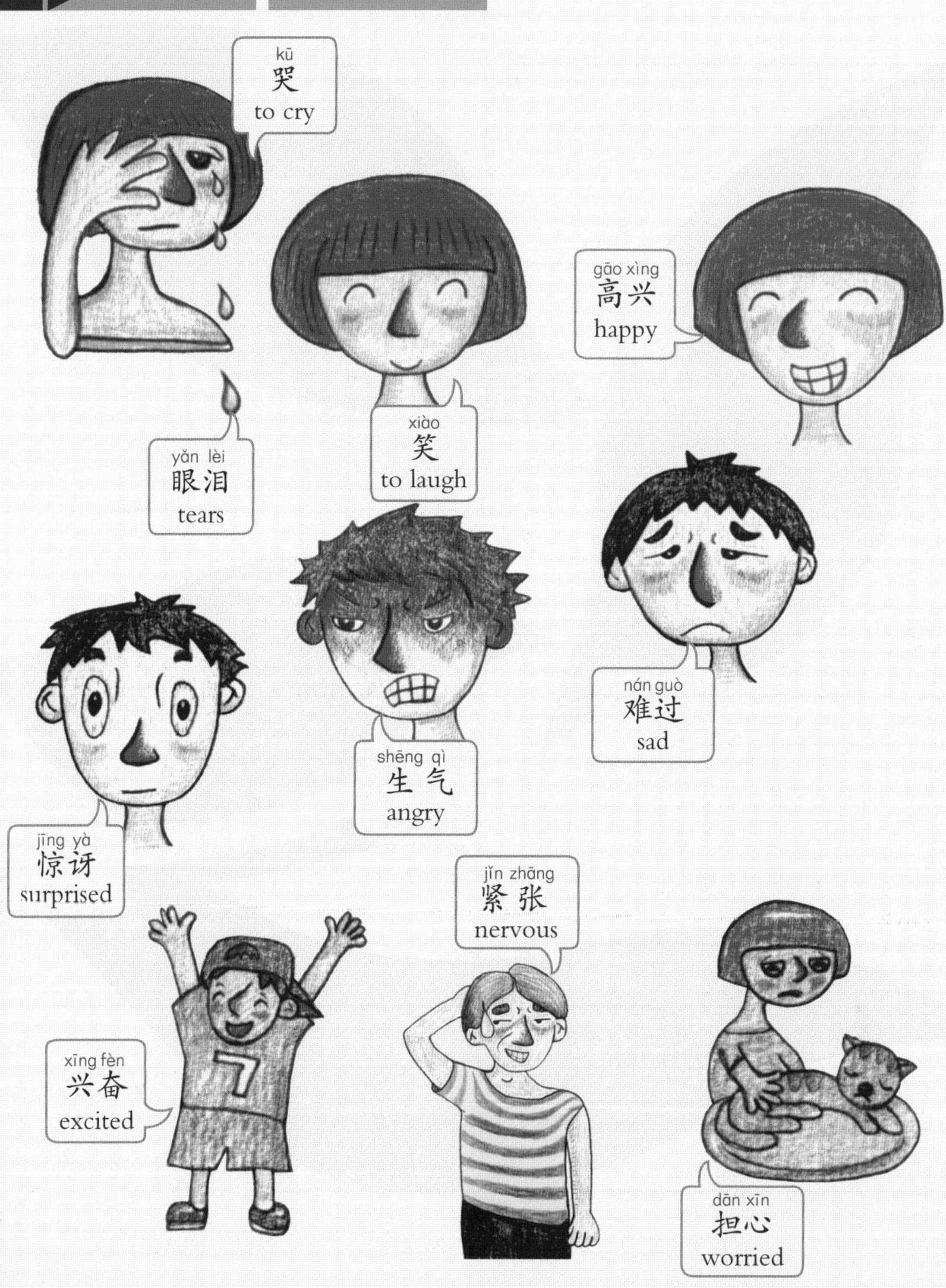

hào qí
好奇
curious

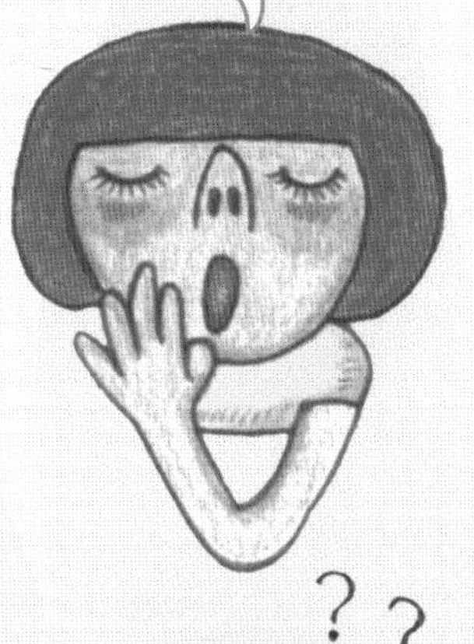

hài pà
害怕
scared

bù míng bai
不明白
puzzled

bù hǎo yì si
不好意思
embarrassed

ài
爱
to love

tǎo yàn
讨厌
to be annoyed by

xǐ huan
喜欢
to like

Grammar Point

gèng
更 even more

tā gèng gāo xìng
他更高兴。 He is even happier.

wǒ gèng ài tā
我更爱他。 I love him even more.

19 我的需要 *My needs*

yào chī fàn
要吃饭
to need to eat

è le
饿了
to become hungry

chī bǎo le
吃饱了
to become full

kě le
渴了
to become thirsty

yào hē shuǐ
要喝水
to need to drink water

yào shuì jiào
要睡觉
to need to sleep

kùn le
困了
to become sleepy

yào xiū xi
要休息
to need to rest

lèi le
累了
to become tired

duō chuān yī fu
多穿衣服
to put on more clothes

náo nao
挠挠
to scratch

yǎng yang
痒痒
to feel itchy

yào kàn yī shēng
要看医生
to need to see a doctor

tuō yī fu
脱衣服
to take off clothes

bìng le
病了
to become sick

lěng le
冷了
to become cold

rè le
热了
to become hot

Practice This Conversation

nà ge xiǎo nán hái wèi shén me kū le
—那个小男孩为什么哭了？
Why is that little boy crying?

tā lèi le yīng gāi xiū xi le
—他累了，应该休息了。
He is tired. He should take a rest.

20 我喜欢的蔬菜 Vegetables that I like

1 西蓝花 (xī lán huā)
broccoli

2 菠菜 (bō cài)
spinach

3 西红柿 (xī hóng shì)
tomato

4 白菜 (bái cài)
Chinese cabbage

5 茄子 (qié zi)
eggplant

6 芹菜 (qín cài)
celery

7 洋葱 (yáng cōng)
onion

8 生菜 (shēng cài)
lettuce

9 青椒 (qīng jiāo)
green pepper

10 蘑菇 (mó gu)
mushroom

11 萝卜 (luó bo)
turnip

12 huáng guā
黄瓜
cucumber

13 dòu jiǎor
豆角儿
green beans

14 hú luó bo
胡萝卜
carrot

15 hóng shǔ
红薯
sweet potato

16 cōng
葱
green onion

17 suàn
蒜
garlic

18 tǔ dòu
土豆
potato

Grammar Point

jiào ràng
叫，让 to ask, to tell

mā ma ràng wǒ duō chī diǎnr xī lán huā
妈妈**让**我多吃点儿西蓝花。
Mom asks me to eat more broccoli.

wǒ jiào jiě jie shǎo mǎi diǎnr xī hóng shì
我**叫**姐姐少买点儿西红柿。
I ask my older sister to buy fewer tomatoes.

21 我喜欢的水果 Fruits that I like

1 píng guǒ 苹果 apple

2 xìng 杏 apricot

3 pú tao 葡萄 grapes

4 bō luó 菠萝 pineapple

5 lí 梨 pear

6 cǎo méi 草莓 strawberry

7 táo 桃 peach

8 máng guǒ 芒果 mango

9 xiāng jiāo 香蕉 banana

10 jú zi 橘子 orange

11 mí hóu táo 猕猴桃 kiwi fruit

12 mù guā
木瓜
papaya

13 xī guā
西瓜
watermelon

14 yòu zi
柚子
grapefruit

15 lǐ zi
李子
plum

16 níng méng
柠檬
lemon

17 lì zhī
荔枝
lychee

18 yīng tao
樱桃
cherry

19 hā mì guā
哈密瓜
cantaloupe

Grammar Point

rú guǒ …… jiù ……
如果……，就…… if ...

rú guǒ méi yǒu píng guǒ, wǒ jiù chī xiāng jiāo
如果没有苹果，我就吃香蕉。
If there are no apples, I'll eat a banana.

rú guǒ nǐ bù chī bō luó, jiù chī máng guǒ ba
如果你不吃菠萝，就吃芒果吧。
If you don't eat pineapple, then eat a mango.

22 我喜欢的食品 Food that I like

1 miàn bāo 面包 bread

2 xiāng cháng 香肠 sausage

3 bǐng gān 饼干 cracker

4 mǐ fàn 米饭 rice

5 miàn tiáo 面条 noodles

6 tāng 汤 soup

7 dòu fu 豆腐 tofu

8 jiǎo zi 饺子 dumpling

9 niú nǎi 牛奶 milk

10 sān míng zhì 三明治 sandwich

11 hàn bǎo 汉堡 hamburger

12 shǔ tiáo 薯条 french fries

13 rè gǒu 热狗 hot dog

14 guǒ zhī
果汁
juice

15 shā lā sè lā
沙拉/色拉
salad

16 guǒ jiàng
果酱
jam

17 mài piàn
麦片
oatmeal

18 bǐ sà bǐng
比萨饼
pizza

19 yì dà lì miàn
意大利面
spaghetti

20 qì shuǐ
汽水
soft drink

21 shuǐ
水
water

22 dòu jiāng
豆浆
soymilk

23 chá
茶
tea

Practice This Conversation

nǐ xiǎng chī miàn bāo hái shi mǐ fàn
—你想吃面包还是米饭？
Do you want to eat bread or rice?

wǒ xiǎng chī miàn bāo
—我想吃面包。
I want to eat bread.

23 在厨房 In the kitchen

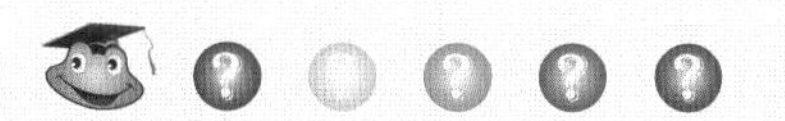

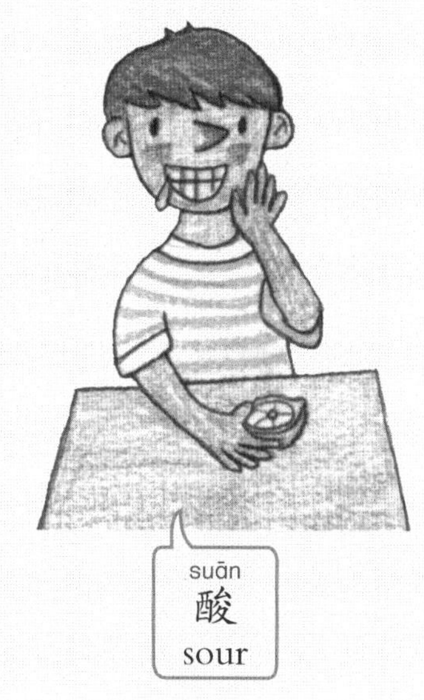

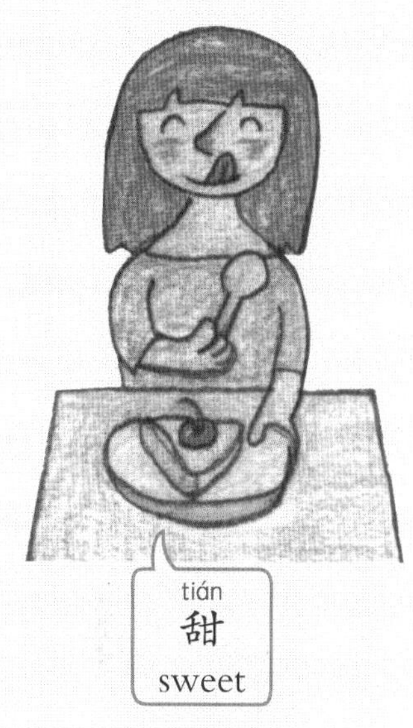

kǔ
苦
bitter

Grammar Point

chú le　　hái
除了……，还……　besides

chú le jiàng yóu　nǐ hái xū yào shén me
除了酱油，你还需要什么？
Besides soy sauce, what else do you need?

chú le bīng xiāng　chú fáng li hái yǒu wēi bō lú
除了冰箱，厨房里还有微波炉。
Besides a fridge, there is also a microwave in the kitchen.

24  一二三 One two three

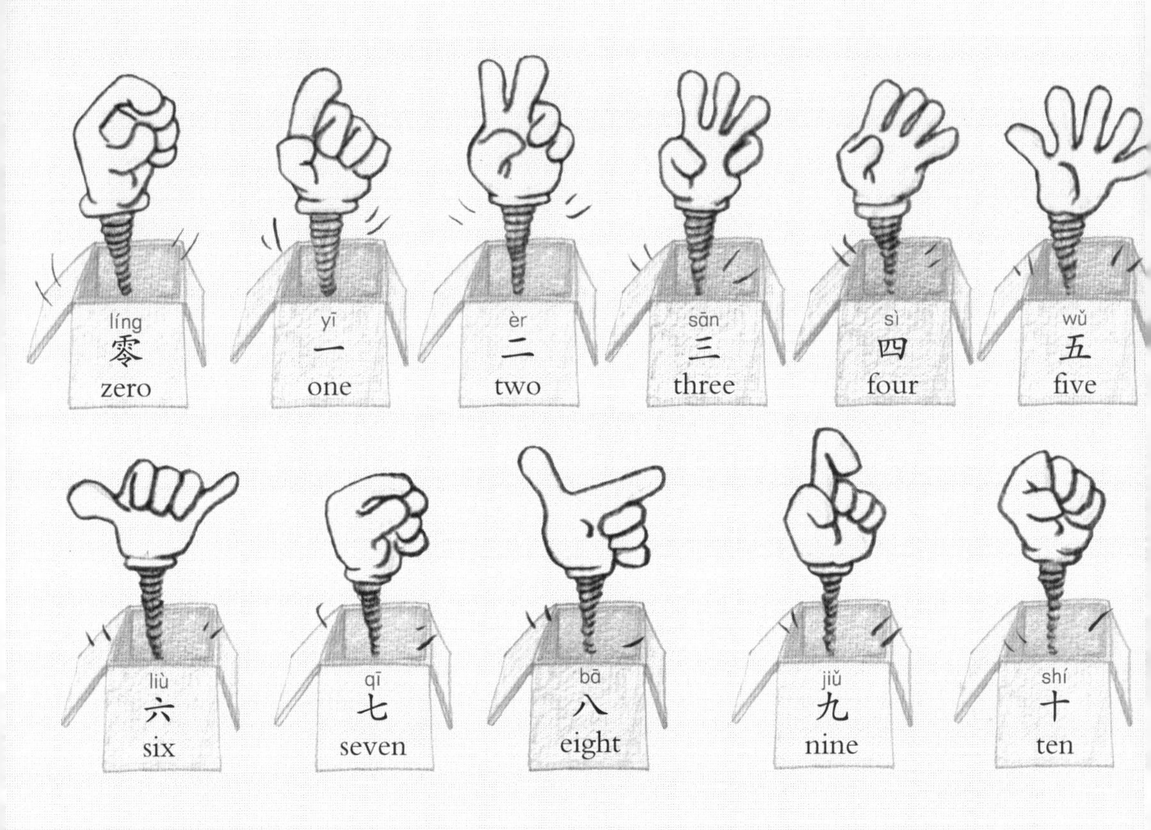

100
yì bǎi
一百 one hundred

1,000
yì qiān
一千 one thousand

10,000
yí wàn
一万 ten thousand

1,000,000
yì bǎi wàn
一百万 one million

100,000,000
yí yì
一亿 one hundred million

Say in Chinese

11 shí yī 十一	225 èr bǎi èr shí wǔ 二百二十五
29 èr shí jiǔ 二十九	1,005 yì qiān líng wǔ 一千零五
101 yì bǎi líng yī 一百零一	11,466 yí wàn yì qiān sì bǎi liù shí liù 一万一千四百六十六

25 我会数数 *I can count*

yì kē sōng shù
一棵松树
one pine tree

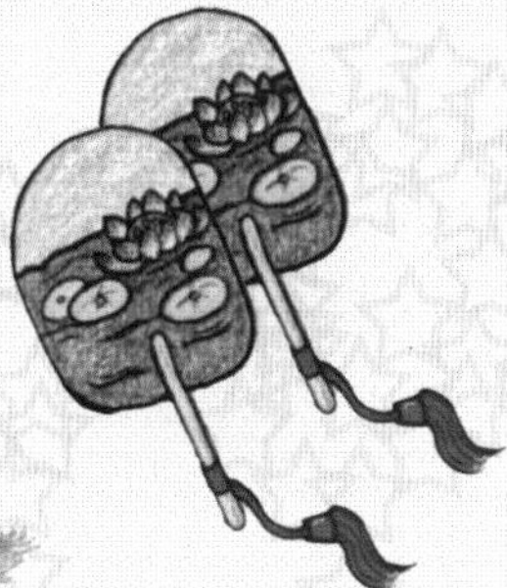

liǎng bǎ shàn zi
两把扇子
two fans

sān běn shū
三本书
three books

yí gè rén
一个人
one person

liǎng tiáo yú
两条鱼
two fish

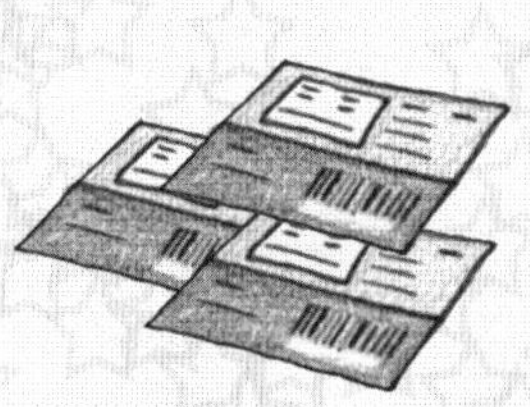

sān zhāng piào
三张票
three tickets

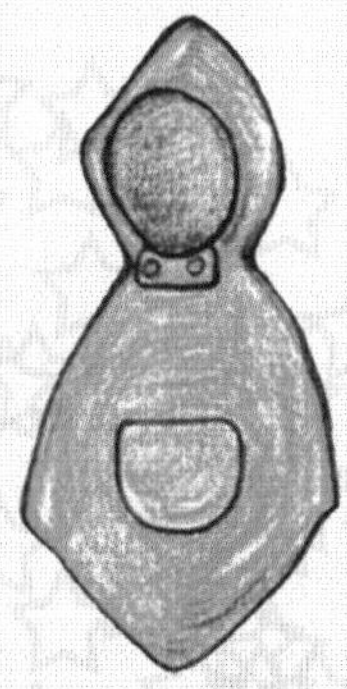

yí jiàn yǔ yī
一件雨衣
one raincoat

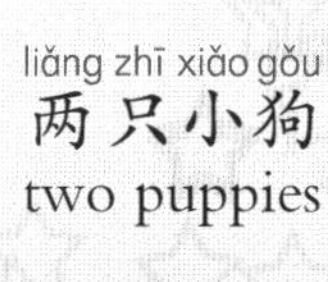

liǎng zhī xiǎo gǒu
两只小狗
two puppies

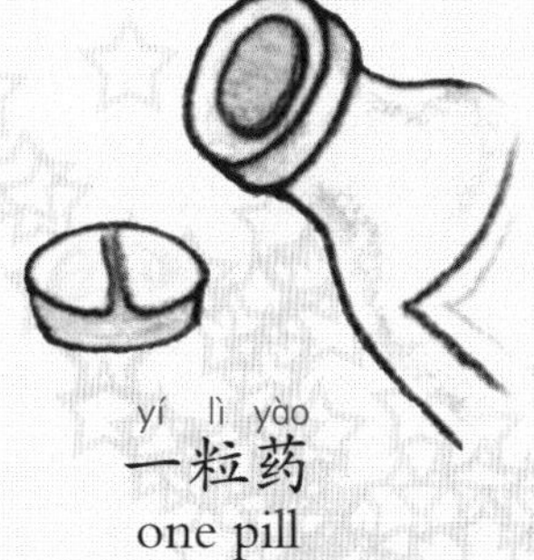

yí lì yào
一粒药
one pill

sān kuài nǎi lào
三块奶酪
three pieces of cheese

liǎng piān rì jì
两篇日记
two diary entries

sān piàn yè zi
三片叶子
three leaves

yí zuò jiàotáng
一座教堂
one church

sān liàng chē
三辆车
three cars

liǎng shuāng pí xié
两双皮鞋
two pairs of leather shoes

yì tóu nǎi niú
一头奶牛
one cow

sān pǐ mǎ
三匹马
three horses

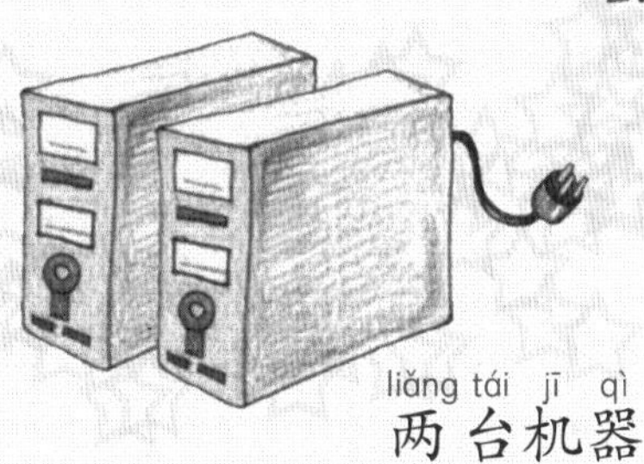

liǎng tái jī qì
两台机器
two machines

Practice This Conversation

nǐ gěi tā jǐ běn shū
—你给她几本书？
How many books did you give her?

wǒ gěi tā liǎng běn shū
—我给她两本书。
I gave her two books.

26 颜色 Colors

1 hēi sè 黑色 black

2 bái sè 白色 white

3 huī sè 灰色 gray

4 hóng sè 红色 red

5 huáng sè 黄色 yellow

6 lán sè 蓝色 blue

7 lǜ sè 绿色 green

8 jú huáng sè 橘黄色 orange

9 fěn sè 粉色 pink

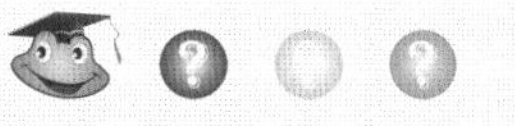

10 zǐ sè 紫色 purple

11 zōng sè 棕色 brown

12 hè sè 褐色 dark brown

13 jīn sè 金色 gold

14 yín sè 银色 silver

15 shēn sè 深色 dark color

16 qiǎn sè 浅色 light color

Practice This Conversation

nǐ yào shén me yán sè de tái dēng
—你要什么颜色的台灯?
What color desk lamp do you want?

wǒ yào lán sè de
—我要蓝色的。
I want the blue one.

27 形状 Shapes

sān jiǎo xíng
三角形
triangle

cháng fāng xíng
长方形
rectangle

tuǒ yuán xíng
椭圆形
oval

zhèng fāng xíng
正方形
square

zhí jìng
直径
diameter

yuán xíng
圆形
circle

líng xíng
菱形
rhombus

bàn jìng
半径
radius

wǔ biān xíng
五边形
pentagon

jiǎo
角
angle

biān
边 side

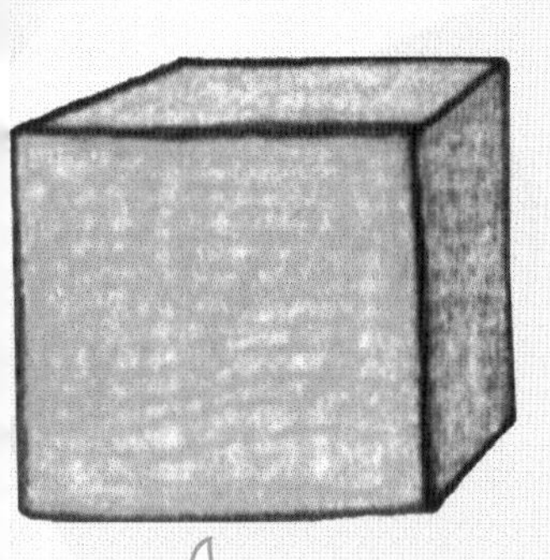

zhèng fāng tǐ
正方体
cube

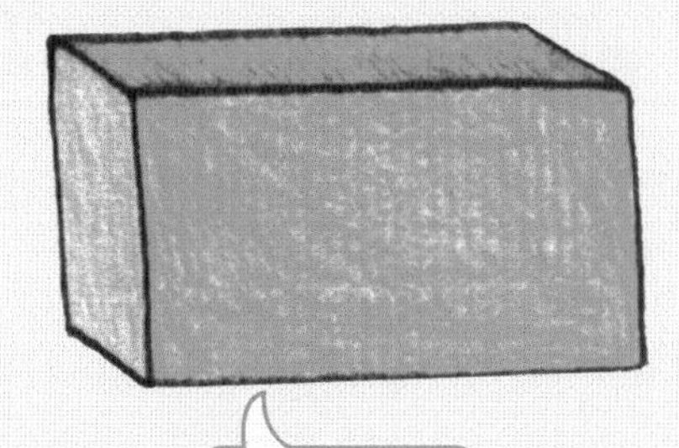

cháng fāng tǐ
长方体
cuboid

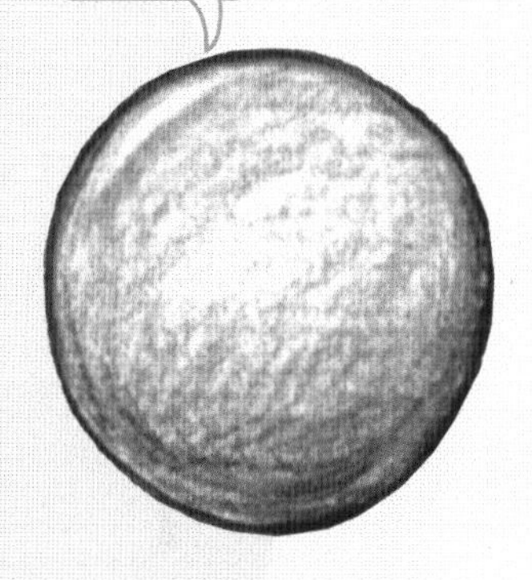

léng zhuī tǐ
棱锥体
pyramid

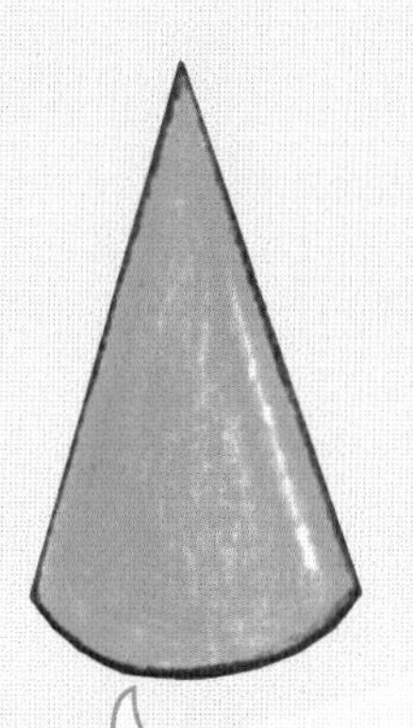

yuán zhuī tǐ
圆锥体
cone

yuán zhù tǐ
圆柱体
cylinder

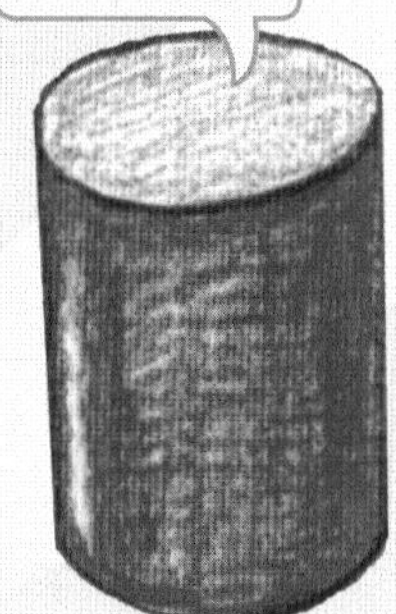

Practice This Conversation

nà kuài bǐng gān shì shén me xíng zhuàng de
—那块饼干是什么形状的?
What shape is that cracker?

nà kuài bǐng gān shì cháng fāng xíng de
—那块饼干是长方形的。
That cracker is a rectangle.

28 现在几点了？ What time is it?

yì miǎo zhōng
一秒钟
one second

yì fēn zhōng
一分钟
one minute

yí kè zhōng
一刻钟
a quarter of an hour

yì xiǎo shí / yí gè zhōng tóu
一小时/一个钟头
one hour

yí gè yuè
一个月
one month

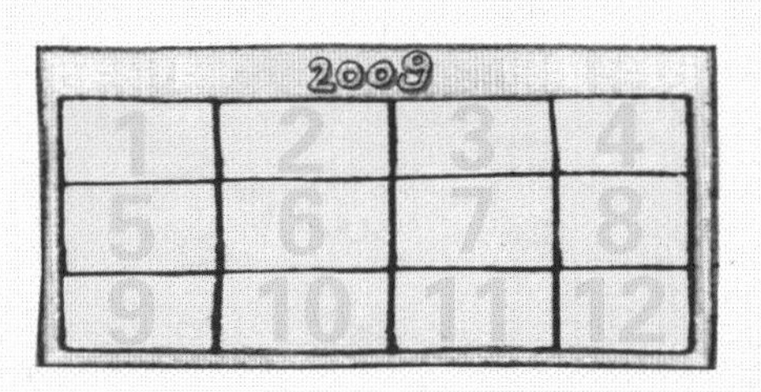

yì nián
一年
one year

yì tiān
一天 one day

yì xīng qī / yì zhōu
一星期/一周 one week

1909 ~ 2009

yí gè shì jì
一个世纪 one century

zǎo shang
早上
early morning

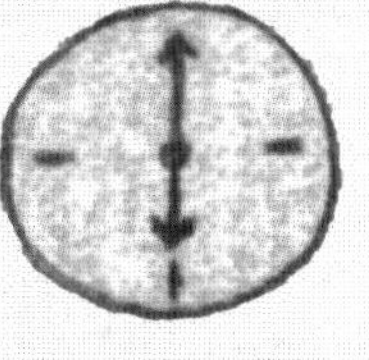

liù diǎn
六点
six o'clock

shàng wǔ
上午
morning

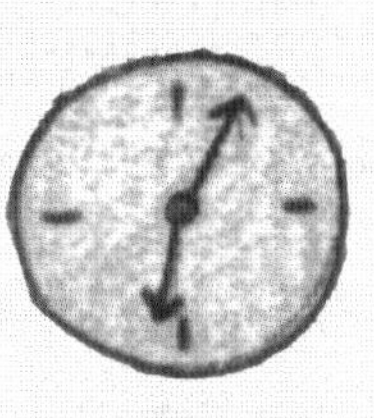

liù diǎn líng wǔ fēn
六点零五分
five past six

bái tiān
白天
daytime

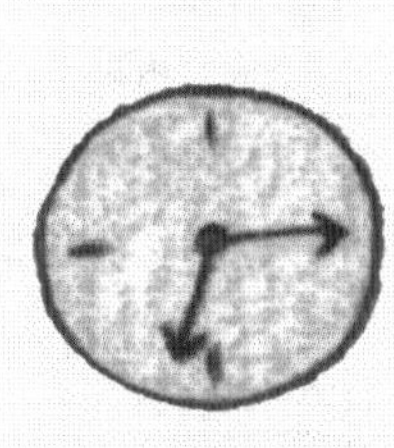

liù diǎn shí wǔ fēn
六点十五分
six fifteen

liù diǎn yí kè
六点一刻
a quarter past six

zhōng wǔ
中午
noon

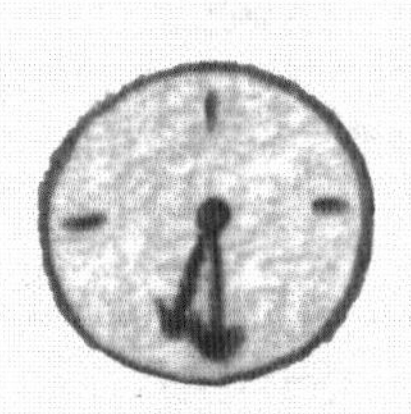

liù diǎn bàn
六点半
half past six

xià wǔ
下午
afternoon

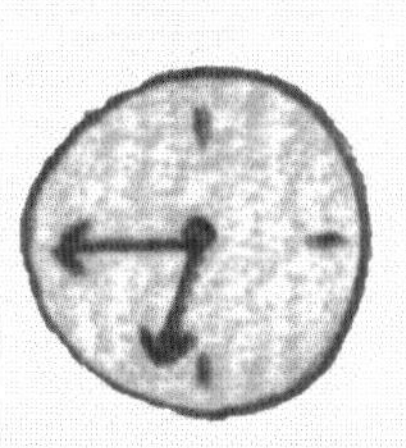

liù diǎn sì shí wǔ fēn
六点四十五分
six forty-five

chà yí kè qī diǎn
差一刻七点
a quarter to seven

wǎn shang
晚上
evening

Say in Chinese

6:00 am	zǎo shang liù diǎn 早上六点
10:10 am	shàng wǔ shí diǎn shí fēn 上午十点十分
12:00 pm	zhōng wǔ shí èr diǎn 中午十二点
4:40 pm	xià wǔ sì diǎn sì shí fēn 下午四点四十分
8:35 pm	wǎn shang bā diǎn sān shí wǔ fēn 晚上八点三十五分

qián tiān
前天
the day before yesterday

zuó tiān
昨天
yesterday

2009

yī yuè 一月 January	èr yuè 二月 February	sān yuè 三月 March	sì yuè 四月 April
wǔ yuè 五月 May	liù yuè 六月 June	qī yuè 七月 July	bā yuè 八月 August
jiǔ yuè 九月 September	shí yuè 十月 October	shí yī yuè 十一月 November	shí èr yuè 十二月 December

jīn tiān
今天
today

míng tiān
明天
tomorrow

hòu tiān
后天
the day after tomorrow

zhōu mò
周末 weekend

xīng qī yī 星期一 Monday	xīng qī èr 星期二 Tuesday	xīng qī sān 星期三 Wednesday	xīng qī sì 星期四 Thursday	xīng qī wǔ 星期五 Friday	xīng qī liù 星期六 Saturday	xīng qī tiān 星期天 Sunday

Say in Chinese

November 6	shí yī yuè liù hào 十一月六号
Friday, March 26	sān yuè èr shí liù hào xīng qī wǔ 三月二十六号星期五
May 15, 2009	èr líng líng jiǔ nián wǔ yuè shí wǔ hào 二〇〇九年五月十五号
6:30 am on April 9	sì yuè jiǔ hào zǎo shang liù diǎn bàn 四月九号早上六点半
Friday, August 8, 2008	èr líng líng bā nián bā yuè bā hào xīng qī wǔ 二〇〇八年八月八号星期五

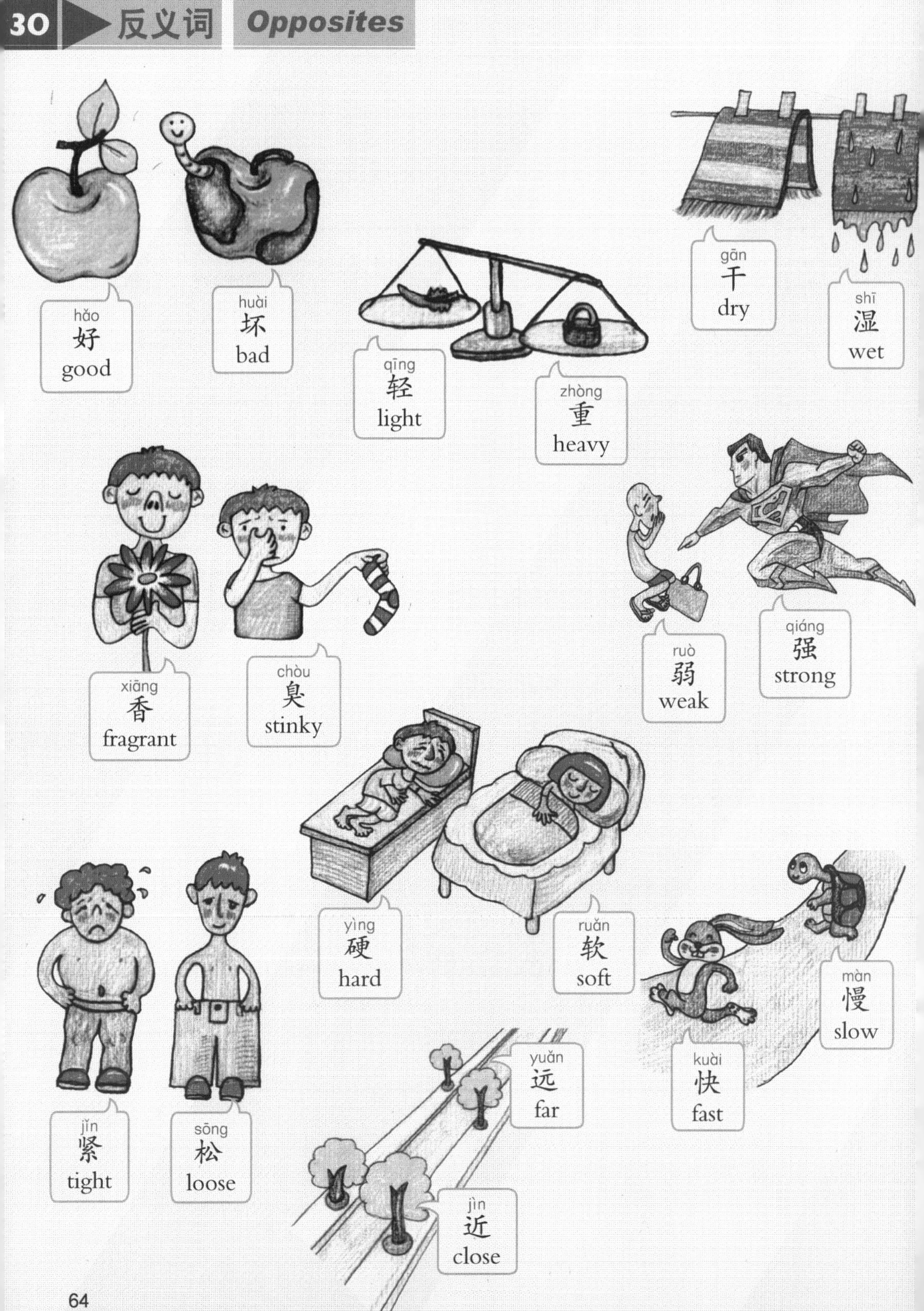
hǎo
好
good
huài
坏
bad
qīng
轻
light
zhòng
重
heavy
gān
干
dry
shī
湿
wet
xiāng
香
fragrant
chòu
臭
stinky
ruò
弱
weak
qiáng
强
strong
yìng
硬
hard
ruǎn
软
soft
jǐn
紧
tight
sōng
松
loose
yuǎn
远
far
jìn
近
close
kuài
快
fast
màn
慢
slow

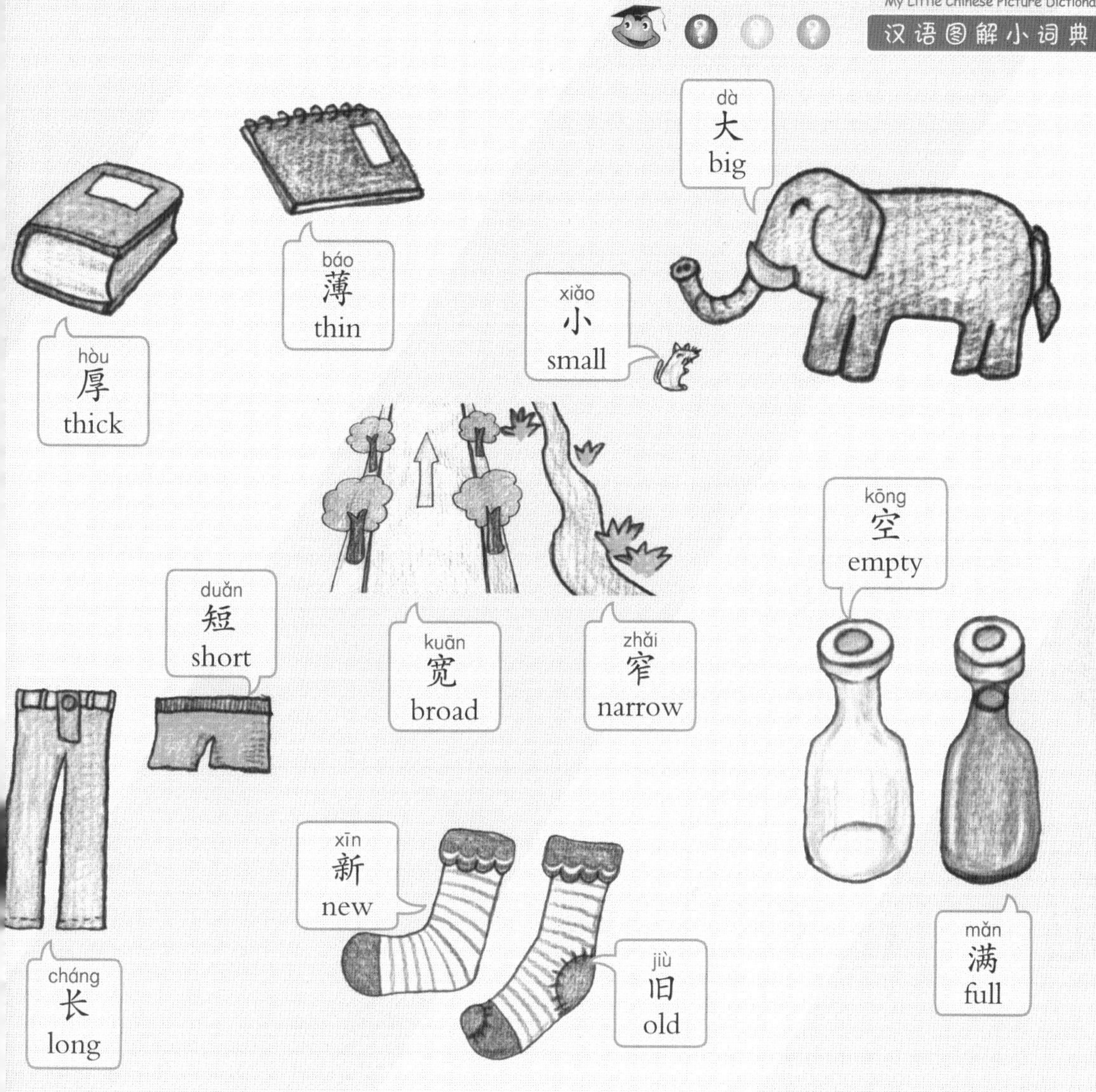

Grammar Point

hěn 很 very	tài 太 too	zhēn 真 really	fēi cháng 非常 extremely

tā hěn hǎo 他很好。	He is very good.
zhè tiáo kù zi tài cháng le 这条裤子太长了。	This pair of pants is too long.
zhè běn shū zhēn hòu 这本书真厚。	This book is really thick.
nà ge guó jiā fēi cháng xiǎo 那个国家非常小。	That country is extremely small.

31 东南西北 North, south, east and west

1 běi 北 north

2 dōng běi 东北 northeast

3 dōng 东 east

4 dōng nán 东南 southeast

5 nán 南 south

6 xī nán 西南 southwest

7 xī 西 west

8 xī běi 西北 northwest

9 zuǒ 左 left

10 yòu 右 right

11 qián 前 front

12 hòu 后 back

13 xiàng zuǒ guǎi 向左拐 to turn left

14 wǎng qián zǒu 往前走 to go straight

15 wǎng huí zǒu 往回走 to go back

16 xiàng yòu guǎi 向右拐 to turn right

17 gé bì 隔壁 next door

18 lóu shàng 楼上 upstairs

19 lóu xià 楼下 downstairs

20 shàng 上 up

21 zhōng jiān 中间 middle

22 xià 下 down

Practice This Conversation

qǐng wèn dào dòng wù yuán zěn me zǒu
—请问，到动物园怎么走？
May I ask how to get to the zoo?

yì zhí wǎng qián zǒu dào dì èr gè lù kǒu xiàng zuǒ guǎi
—一直往前走，到第二个路口向左拐，
zài zǒu wǔ shí mǐ jiù dào le
再走五十米，就到了。
Walk straight. Turn left at the second intersection. Walk fifty meters more and then you'll be there.

32 红灯停，绿灯行 *Red light stop, green light go*

1 dān xíng dào 单行道
one way street

2 jiāo tōng biāo jì 交通标记
traffic sign

3 guò jiē tiān qiáo 过街天桥
pedestrian overpass

4 jiāo tōng jǐng chá 交通警察
traffic police

5 rén xíng dào 人行道
sidewalk

6 rén xíng héng dào 人行横道
pedestrian crossing

7 shí zì lù kǒu 十字路口
intersection

8 hóng lǜ dēng 红绿灯
traffic light

9 hóng dēng 红灯
red light

10 huáng dēng 黄灯
yellow light

11 lǜ dēng 绿灯
green light

12 lì jiāo qiáo
立交桥
overpass

13 mǎ lù
马路
road

14 tíng chē chǎng
停车场
parking lot

15 xíng rén
行人
pedestrian

16 dì xià tōng dào
地下通道
underpass

17 gāo sù gōng lù
高速公路
expressway

18 shàng chē
上车
to get on the bus

19 xià chē
下车
to get off the bus

Grammar Point

yī ...... jiù ......
一……就…… as soon as

wǒ yí dào tíng chē chǎng jiù gěi nǐ dǎ diàn huà
我一到停车场就给你打电话。
As soon as I arrive at the parking lot, I'll call you.

yí biàn hóng dēng wǒ jiù tíng xià lai le
一变红灯我就停下来了。
As soon as the light turned red, I stopped.

33 我的小狗在哪儿？ *Where is my dog?*

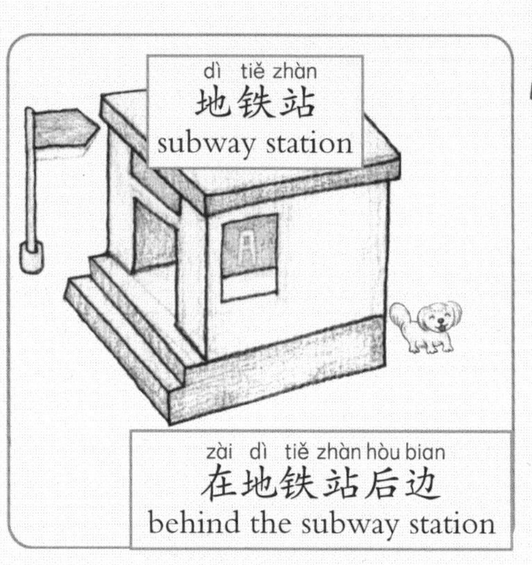

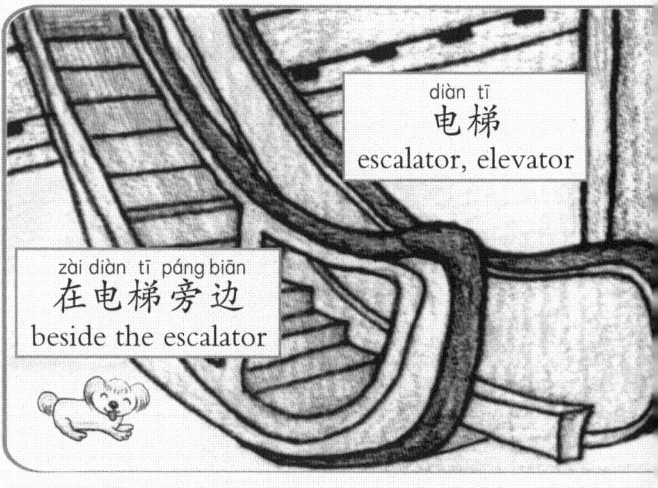

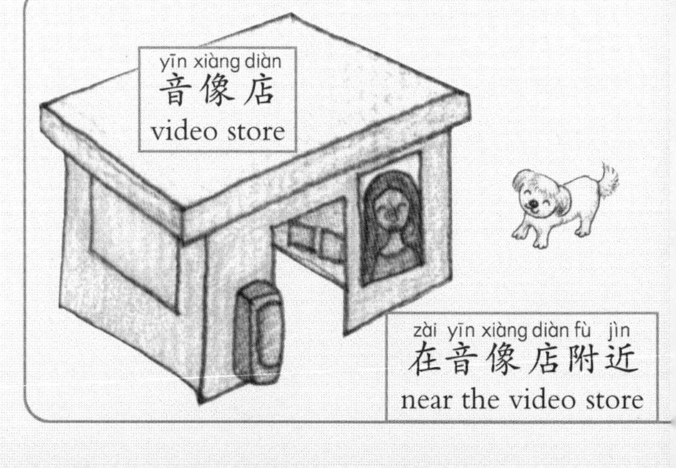

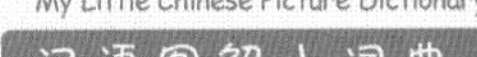

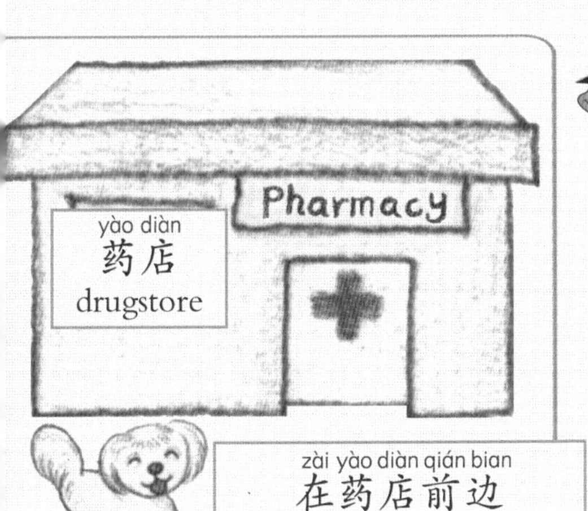

yào diàn
药店
drugstore

zài yào diàn qián bian
在药店前边
in front of the drugstore

wán jù diàn
玩具店
toy store

zài wán jù diàn dōng bian
在玩具店东边
east of the toy store

gān xǐ diàn
干洗店
dry cleaner's

zài gān xǐ diàn wài bian
在干洗店外边
outside the dry cleaner's

xiān huā diàn
鲜花店
flower store

zài guì tái shàng bian
在柜台上边
on the counter

shū diàn
书店
bookstore

zài shū diàn lǐ bian
在书店里边
inside the bookstore

Grammar Point

de shí hou
……的时候 when...

wǒ zài wán jù diàn de shí hou
我在玩具店的时候，
xiǎo gǒu pǎo dào le páng biān de xiān huā diàn
小狗跑到了旁边的鲜花店。
When I was in the toy store,
my dog ran to the nearby flower store.

34 看病 Seeing the doctor

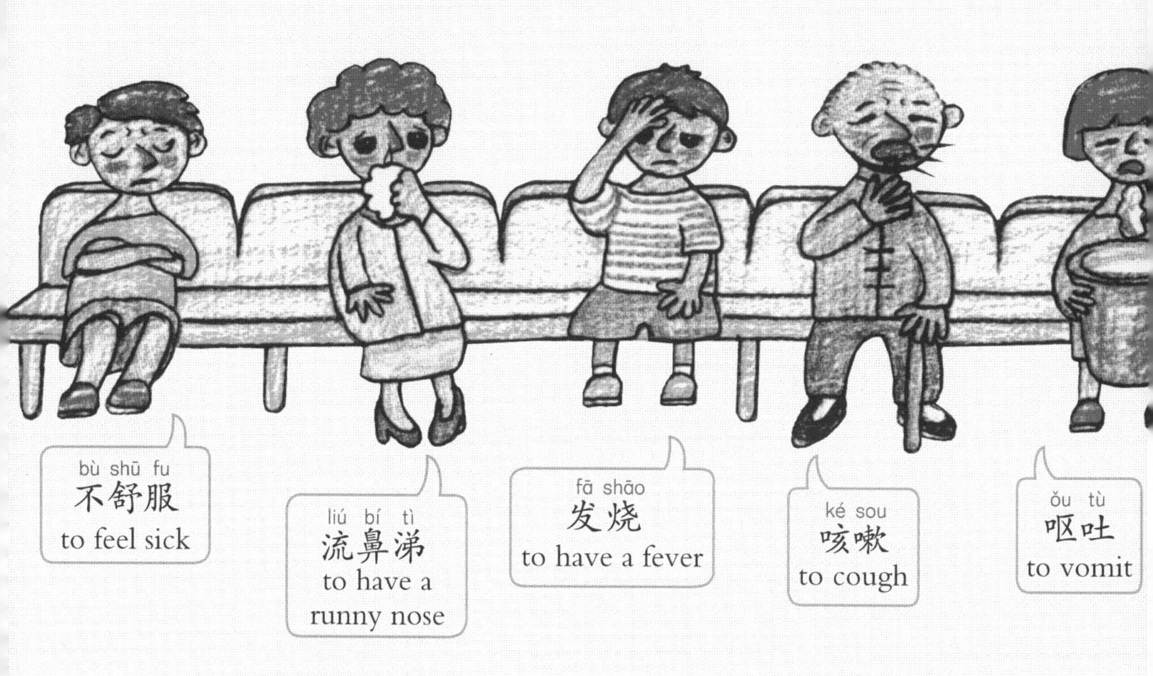

jí zhěn shì
急诊室
emergency room

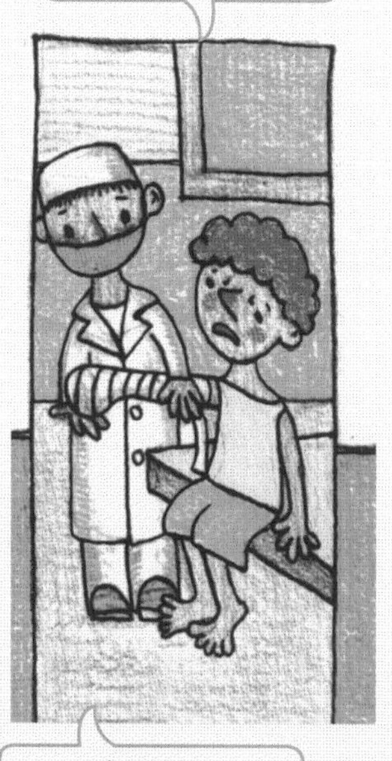

bāo zā
包扎
to dress a wound

chī yào
吃药
to take medicine

gǔ zhé
骨折
fracture

gǎn mào
感冒
to have a cold

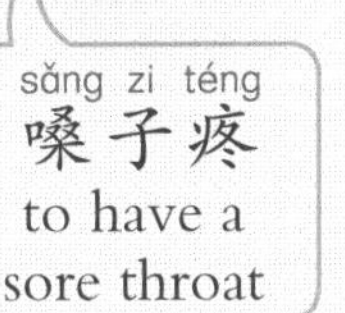

sǎng zi téng
嗓子疼
to have a sore throat

lā dù zi
拉肚子
to have diarrhea

Please excuse Joe from school on June 1.
John Smith, MD
John Smith

bìng jià tiáo
病假条
certificate for sick leave

yī shēng
医生
doctor

dǎ zhēn
打针
to have a shot

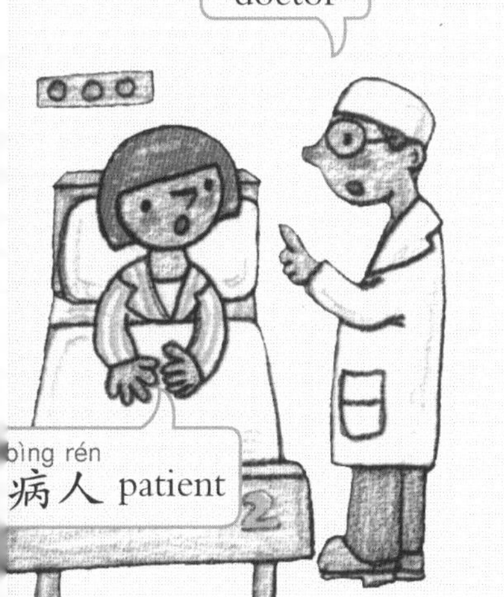

bìng rén
病人 patient

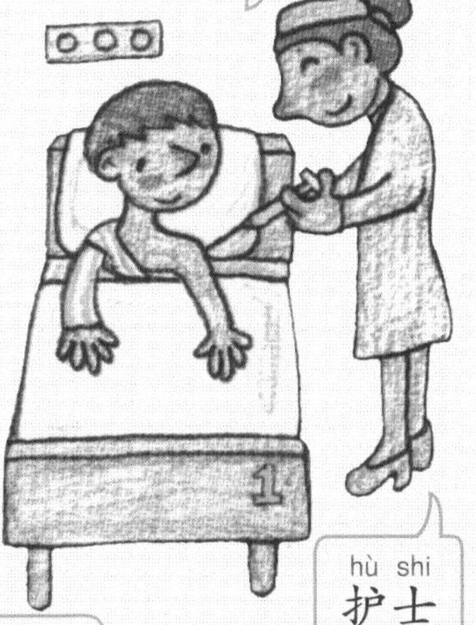

zhù yuàn
住院
to be hospitalized

hù shi
护士
nurse

Grammar Point

yīn wèi　suǒ yǐ
因为……，所以……
because

yīn wèi wǒ shēng bìng le
因为我生病了，
suǒ yǐ méi lái shàng kè
所以没来上课。
Because I was sick,
I didn't come to class.

yīn wèi tā sǎng zi téng
因为他嗓子疼，
suǒ yǐ qù kàn bìng
所以去看病。
Because he had a sore throat,
he went to see a doctor.

35 讲卫生 Good hygiene

1	yù yè	浴液	body wash
2	xǐ fà shuǐ	洗发水	shampoo
3	jìng zi	镜子	mirror
4	yá shuā	牙刷	toothbrush
5	shū zi	梳子	comb
6	máo jīn	毛巾	towel
7	xiāng zào	香皂	soap
8	yá gāo	牙膏	toothpaste
9	yù gāng	浴缸	bathtub
10	pēn tóu	喷头	nozzle
11	mǎ tǒng	马桶	toilet
12	shàng cè suǒ	上厕所	to use the toilet
13	wèi shēng zhǐ	卫生纸	toilet paper

xǐ shǒu
洗手
to wash hands

zhǐ jia dāo
指甲刀
nail clipper

jiǎn zhǐ jia
剪指甲
to cut one's fingernails

xǐ zǎo
洗澡
to take a bath

huàn yī fu
换衣服
to change clothes

shuā yá
刷牙
to brush teeth

shū tóu
梳头
to comb one's hair

zāng
脏
dirty

gān jìng
干净
clean

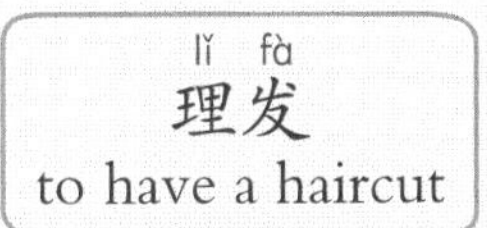

lǐ fà
理发
to have a haircut

Grammar Point

yǐ hòu 以后 after　　yǐ qián 以前 before

shàng cè suǒ yǐ hòu qǐng xǐ shǒu
上厕所以后请洗手。
Please wash your hands after using the bathroom.

chī fàn yǐ qián qǐng xǐ shǒu
吃饭以前请洗手。
Please wash your hands before eating.

36 懂礼貌 Good manners

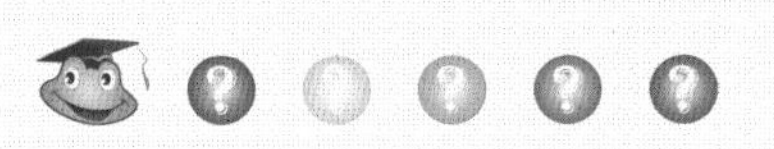

Practice This Conversation

nǐ hǎo ma
—你好吗？
How are you?

wǒ hěn hǎo, xiè xie. nǐ ne
—我很好，谢谢。你呢？
I'm fine. Thanks. How about you?

wǒ yě hěn hǎo
—我也很好。
I'm also fine.

shuǐ lóng tóu
水龙头
faucet
dǎ sǎo
打扫
to clean
xǐ cài
洗菜
to wash vegetables
qiē cài
切菜
to cut vegetables
zuò fàn
做饭
to cook
xǐ wǎn
洗碗
to wash dishes
féng niǔ kòu
缝纽扣
to sew a button
dīng zi
钉子
nail
xiū lǐ
修理
to repair
jiāo huā
浇花
to water plants
huā pén
花盆
flowerpot
xǐ yī fu
洗衣服
to do laundry

dié yī fu
叠衣服
to fold laundry

sǎo dì
扫地
to sweep the floor

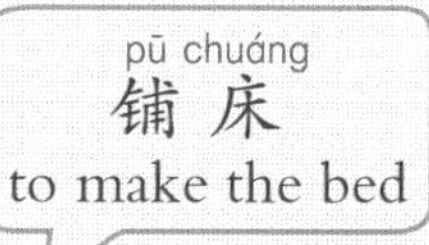

shōu shi wán jù
收拾玩具
to put away toys

xī chén
吸尘
to vacuum

dào lā jī
倒垃圾
to take out trash

wèi chǒng wù
喂宠物
to feed the pet

cā zhuō zi
擦桌子
to wipe the table

Grammar Point

bú dàn　ér qiě　hái
不但……，而且/还……　not only...but also...

wǒ bú dàn huì sǎo dì， ér qiě　hái huì pū chuáng
我不但会扫地，而且/还会铺床。
I can not only sweep the floor, but also make the bed.

mā ma bú dàn jiāo wǒ dié yī fu， ér qiě　hái jiāo wǒ féng niǔ kòu
妈妈不但教我叠衣服，而且/还教我缝纽扣。
My mom not only teaches me how to fold clothes, but also how to sew a button.

1 měi nǚ yǔ yě shòu 美女与野兽 Beauty and the Beast

2 xiǎo hóng mào 小红帽 Little Red Riding Hood

3 huī gū niang 灰姑娘 Cinderella

4 bái xuě gōng zhǔ 白雪公主 Snow White

5 shuì měi rén 睡美人 Sleeping Beauty

6 mǔ zhǐ gū niang 拇指姑娘 Thumbelina

7 mù ǒu qí yù jì 木偶奇遇记 Pinocchio

8 měi rén yú 美人鱼 The Little Mermaid

9 wū pó 巫婆 witch

10 chéng bǎo 城堡 castle

11 sēn lín 森林 forest

12 qí shì 骑士 knight

13 qí 旗 flag

14 jiàn 剑 sword

15 lóng 龙 dragon

16 gōng zhǔ 公主 princess

17 wáng zǐ 王子 prince

18 guó wáng 国王 king

19 wáng hòu 王后 queen

Practice This Conversation

bái xuě gōng zhǔ zhè ge gù shi nǐ tīng guò ma
—《白雪公主》这个故事你听过吗?

Have you heard the story of Snow White?

wǒ tīng guò liǎng cì le
—我听过两次了。

I have heard it twice.

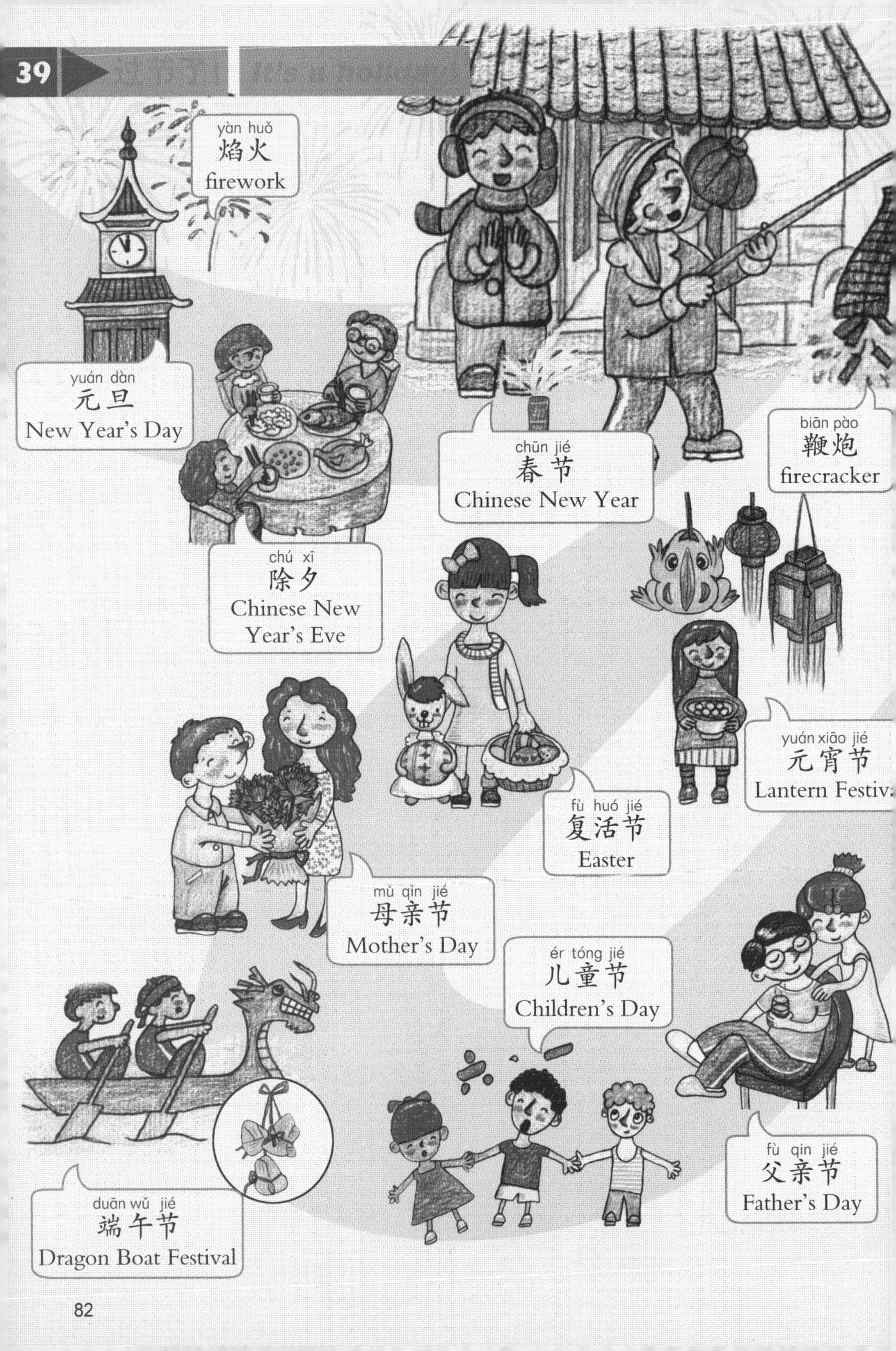
yàn huǒ
焰火
firework
yuán dàn
元旦
New Year's Day
chú xī
除夕
Chinese New Year's Eve
chūn jié
春节
Chinese New Year
biān pào
鞭炮
firecracker
yuán xiāo jié
元宵节
Lantern Festiv
fù huó jié
复活节
Easter
mù qin jié
母亲节
Mother's Day
ér tóng jié
儿童节
Children's Day
fù qin jié
父亲节
Father's Day
duān wǔ jié
端午节
Dragon Boat Festival

guó qìng jié
国庆节
National Day

zhōng qiū jié
中秋节
Mid-Autumn Festival

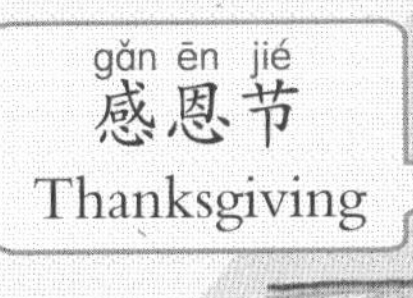

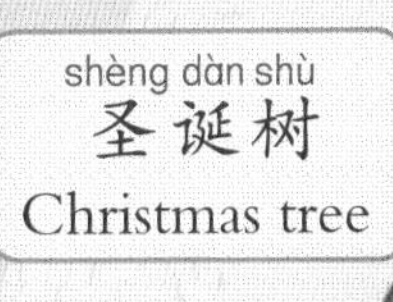

shèng dàn jié
圣诞节
Christmas

shèng dàn lǎo rén
圣诞老人
Santa Claus

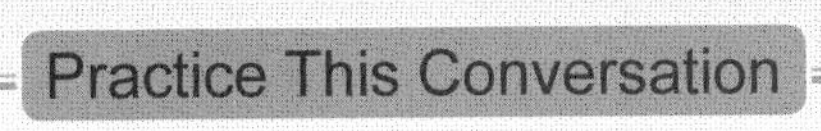

zài zhōng guó zuì zhòngyào de jié rì shì shén me
—在中国最重要的节日是什么？
What is the most important holiday in China?

shì chūn jié
—是春节。
It's Chinese New Year.

1 生日晚会 shēng rì wǎn huì
birthday party

2 客人 kè ren
guest

3 许愿 xǔ yuàn
to make a wish

4 拍手 pāi shǒu
to clap hands

5 气球 qì qiú
balloon

6 唱生日歌 chàng shēng rì gē
to sing Happy Birthday

7 生日卡 shēng rì kǎ
birthday card

8 礼物 lǐ wù
gift

9 切 qiē
to cut

10 蛋糕 dàn gāo
cake

11 果冻 guǒ dòng
jelly

12 葡萄干 pú tao gān
raisins

13 qiǎo kè lì
巧克力
chocolate

14 bàng bàng táng
棒棒糖
lollipop

15 suān nǎi
酸奶
yoghourt

16 zhào xiàng jī
照相机
camera

17 diǎn là zhú
点蜡烛
to light the candles

18 chuī miè
吹灭
to blow out

19 bāo
包
to wrap

20 dǎ kāi
打开
to open

Practice This Conversation

zhè shì sòng gěi nǐ de lǐ wù
—这是送给你的礼物。
zhù nǐ shēng rì kuài lè
祝你生日快乐！
This is a gift for you.
Happy birthday!

xiè xie
—谢谢。
Thanks.

41 我的学校 My school

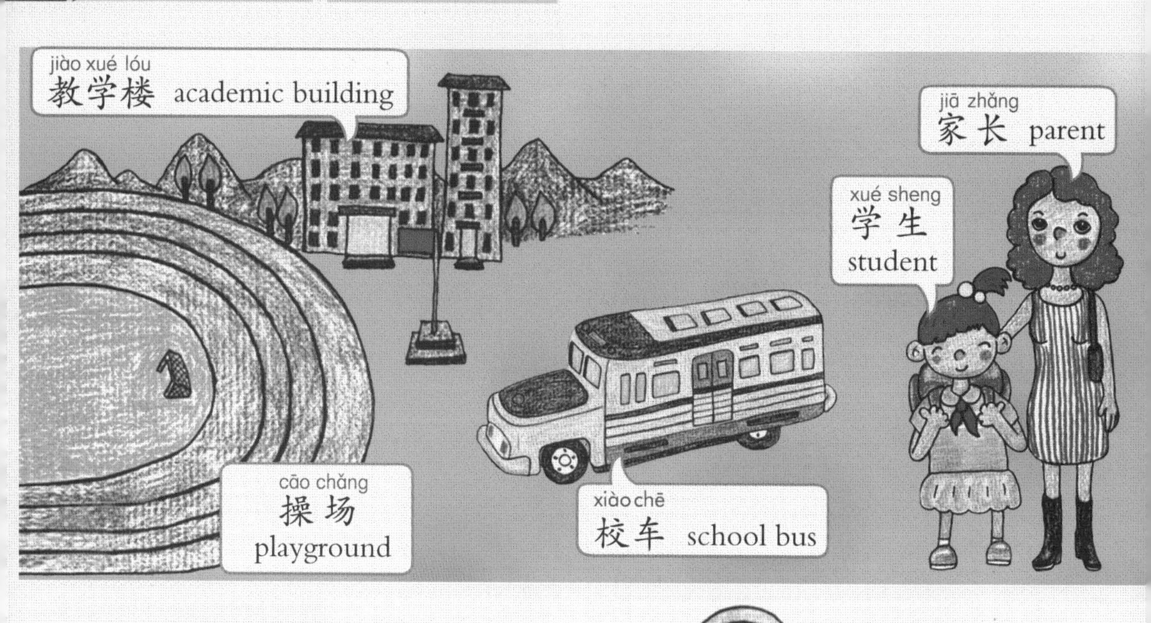

bàn gōng shì
办公室
office

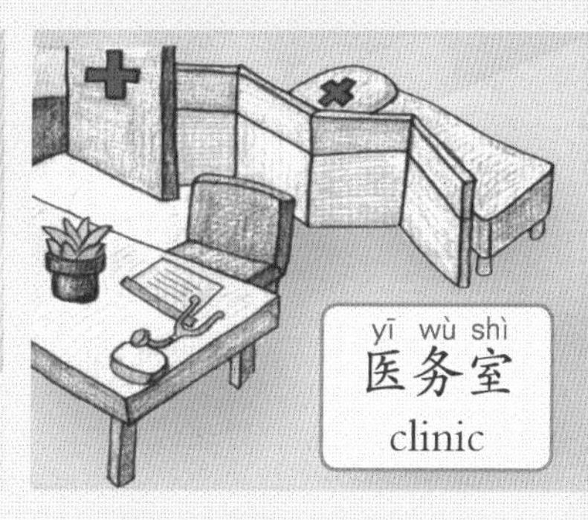

Practice This Conversation

我的小书包 In my schoolbag

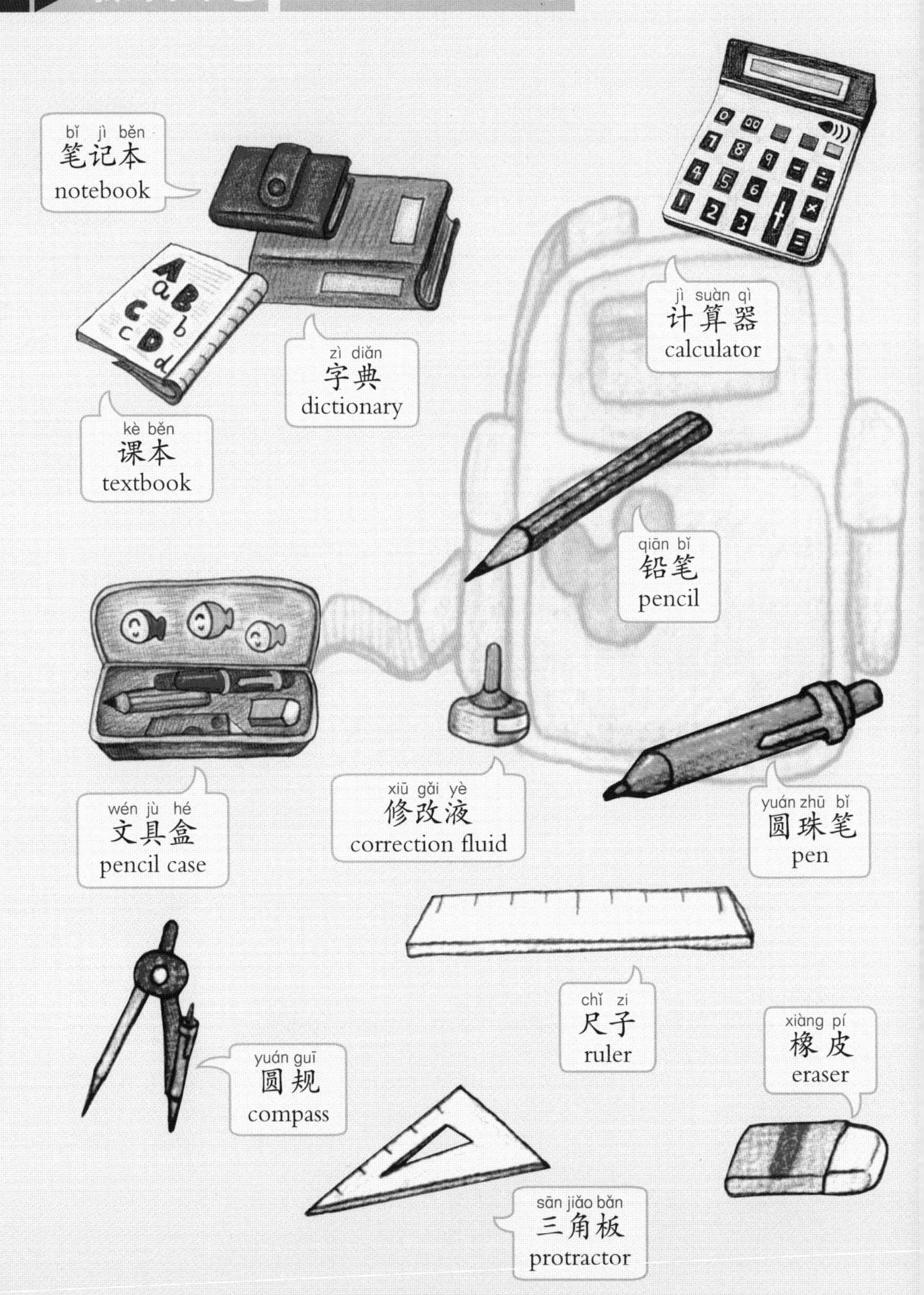

wén jiàn jiā
文件夹
folder

qū bié zhēn
曲别针
paper clip

tòu míng jiāo
透明胶
tape

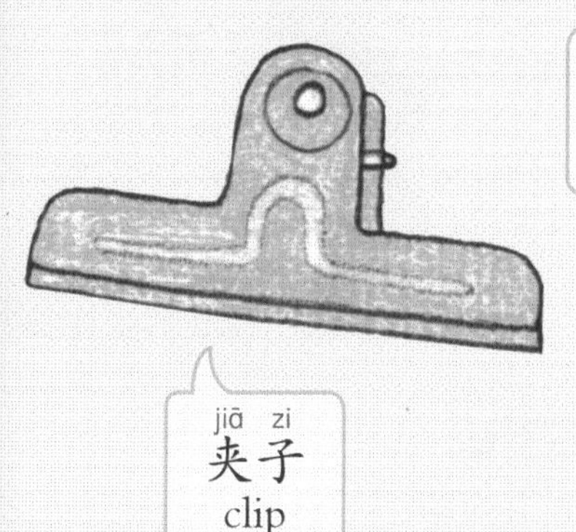

jiā zi
夹子
clip

zhuàn bǐ dāo juǎn bǐ dāo
转笔刀/卷笔刀
pencil sharpener

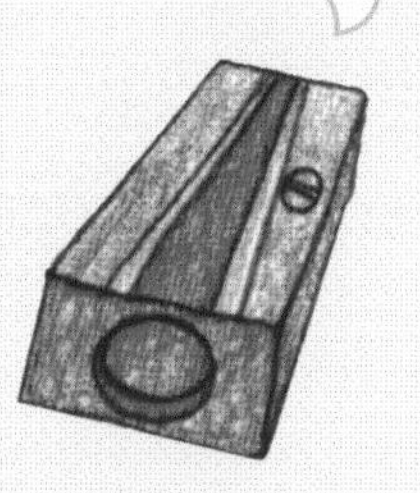

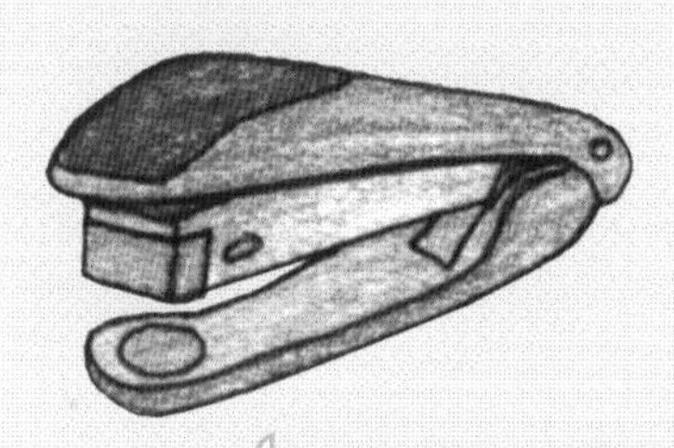

dìng shū jī
订书机
stapler

Practice This Conversation

qǐng bǎ nǐ de dìng shū jī jiè gěi wǒ yòng yong kě yǐ ma
—请把你的订书机借给我用用，可以吗？
May I borrow your stapler?

dāng rán kě yǐ gěi nǐ
—当然可以。给你。
Of course. Here you are.

kè chéng biǎo
课程表 school schedule

morning

shù xué
数学
math

yǔ wén
语文
Chinese

wài yǔ
外语
foreign language

lì shǐ
历史
history

dì lǐ
地理
geography

zhèng zhì
政治
politics

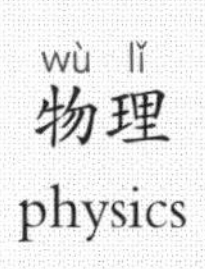

wù lǐ
物理
physics

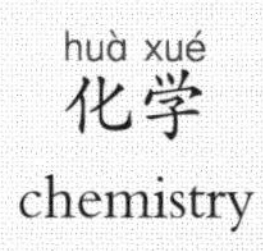

huà xué
化学
chemistry

afternoon

shēng wù
生物
biology

yīn yuè
音乐
music

měi shù
美术
art

tǐ yù
体育
PE

kè jiān xiū xi
课间休息
recess

zì xí
自习 self-study

Grammar Point

suī rán dàn shì
虽然……，但是…… although

suī rán huà xué hěn nán dàn shì hěn yǒu yì si
虽然化学很难，但是很有意思。
Although chemistry is difficult, it is interesting.

suī rán wǒ zhǐ shàng liǎng mén kè dàn shì zuò yè hěn duō
虽然我只上两门课，但是作业很多。
Although I only take two classes, I have lots of homework.

dì tú
地图
map
jiǎng kè
讲课
to lecture
hēi bǎn
黑板
blackboard
hēi bǎn cā
黑板擦
blackboard eraser
fěn bǐ
粉笔
chalk
tīng jiǎng
听讲
to listen to a lecture
kǎo shì
考试
to take an exam
zuò bào gào
作报告
to give an oral presentation

Practice This Conversation

mǎ lì qǐng nǐ lái huí dá zhè ge wèn tí
—玛丽，请你来回答这个问题。
Mary, please answer this question.

duì bu qǐ lǎo shī nǐ néng zài wèn yí cì ma
—对不起，老师，你能再问一次吗？
I'm sorry, teacher. Can you ask one more time?

hǎo de
—好的。
OK.

45 我不怕数学 I'm not afraid of math

jiā
加
plus

jiǎn
减
minus

chéng
乘
multiplied by

chú
除
divided by

děng yú
等于
equals

bǎi fēn bǐ
百分比
percent

zhèng shù
正数
positive number

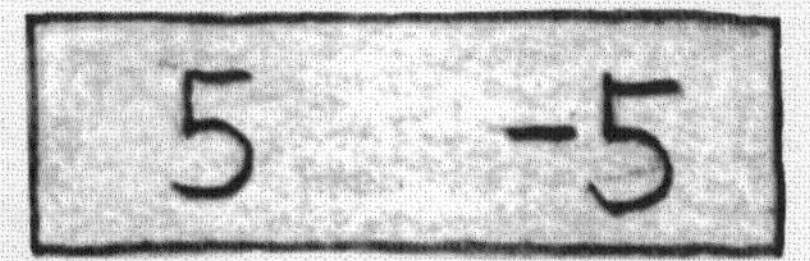

fù shù
负数
negative number

xiǎo shù
小数
decimal number

0.5 ½

fēn shù
分数
fraction

6 + 3 = 9	jiā fǎ 加法 addition
6 − 3 = 3	jiǎn fǎ 减法 substraction
6 × 3 = 18	chéng fǎ 乘法 multiplication
6 ÷ 3 = 2	chú fǎ 除法 division

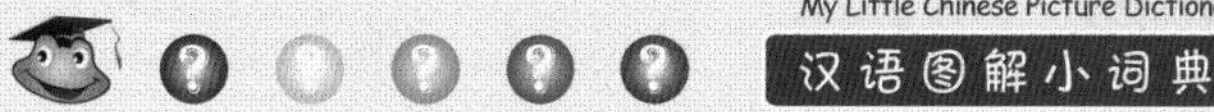

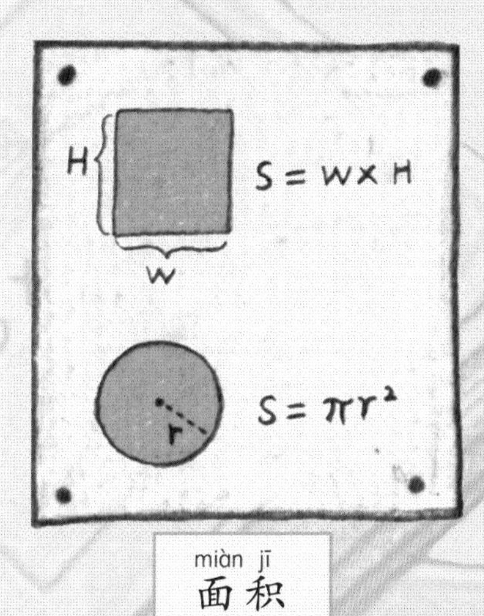

miàn jī
面积
area

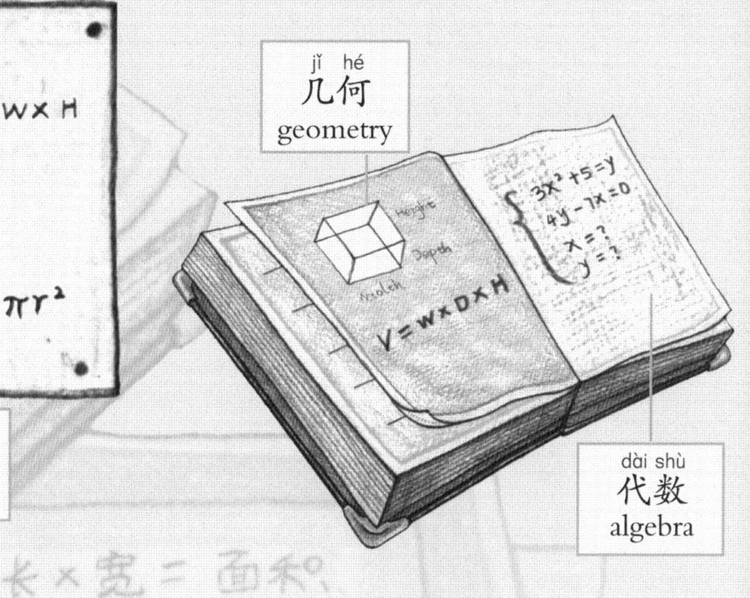

jǐ hé
几何
geometry

dài shù
代数
algebra

tǐ jī
体积
volume

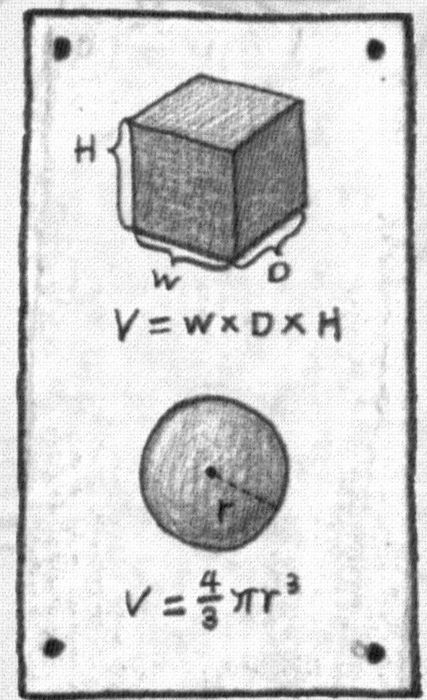

Say in Chinese

1/2	èr fēn zhī yī 二分之一
1/4	sì fēn zhī yī 四分之一
1%	bǎi fēn zhī yī 百分之一
10%	bǎi fēn zhī shí 百分之十
1.05	yī diǎn líng wǔ 一点零五
10.86	shí diǎn bā liù 十点八六
−5	fù wǔ 负五
3+4=7	sān jiā sì děng yú qī 三加四等于七

46 我爱音乐 I love music

gǔ diǎn yīn yuè
古典音乐
classical music

hé chàng tuán
合唱团
chorus, choir

shuō chàng
说唱
rap

liú xíng yīn yuè
流行音乐
pop music

zhǐ huī
指挥
conductor

chàng piàn
唱片
record

zhuān jí
专辑
album

jué shì yuè
爵士乐
jazz

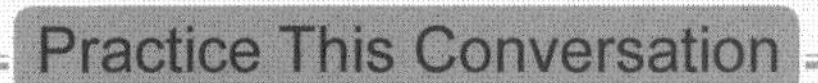

nǐ huì shén me yuè qì
—你会什么乐器？

What kind of musical instruments can you play?

wǒ huì tán gāng qín hái huì lā xiǎo tí qín
—我会弹钢琴，还会拉小提琴。

I can play piano and I can also play violin.

我爱运动 *I love sports*

yǔ máo qiú
羽毛球
badminton

pīng pāng qiú
乒乓球
ping-pong

lán qiú
篮球
basketball

zú qiú
足球
soccer

wǎng qiú
网球
tennis

pái qiú
排球
volleyball

bàng qiú
棒球
baseball

gǎn lǎn qiú
橄榄球
American football

tǐ cāo
体操
gymnastics

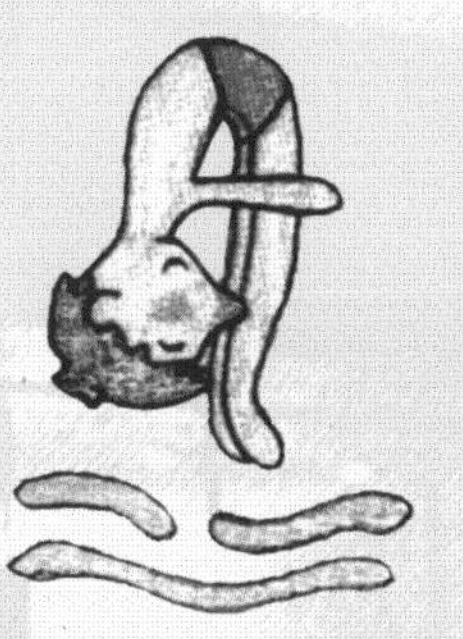

tiào shuǐ
跳水
diving

sài pǎo
赛跑
running

jī jiàn
击剑
fencing

wǔ shù
武术
martial arts

quán jī
拳击
boxing

róu dào
柔道
judo

kōng shǒu dào
空手道
karate

tái quán dào
跆拳道
taekwondo

Practice This Conversation

nǐ dǎ lán qiú dǎ de zěn me yàng
—你打篮球打得怎么样?
How well do you play basketball?

wǒ dǎ lán qiú dǎ de hěn hǎo
—我打篮球打得很好。
I play basketball very well.

48 我爱美术 I love arts and crafts

1 huà jià 画架 easel

2 yán liào 颜料 paint

3 tiáo sè bǎn 调色板 palette

4 píng zi 瓶子 bottle

5 zhé 折 to fold

6 jiǎn 剪 to cut

7 shǒu gōng zhǐ 手工纸 construction paper

8 xiàng pí ní 橡皮泥 plasticine

9 shuā zi 刷子 brush

10 jiǎn dāo 剪刀 scissors

11 shàng sè 上色 to color

12 tú huà běn
图画本
sketch pad

13 jiāo shuǐ
胶水
glue

14 zhān
粘
to glue

15 hé zi
盒子
box

16 máo bǐ
毛笔
calligraphy brush

17 mò zhī
墨汁
Chinese calligraphy ink

18 shū fǎ
书法
calligraphy

19 shuǐ cǎi
水彩
watercolors

20 là bǐ
蜡笔
crayons

Grammar Point

hé yí yàng
A 和 B 一样…… A is as... as B

zhè zhāng huà hé nà zhāng huà yí yàng piào liang
这张画和那张画一样漂亮。
This painting is as beautiful as that one.

zhè bǎ jiǎn dāo hé nà bǎ jiǎn dāo yí yàng kuài
这把剪刀和那把剪刀一样快。
This pair of scissors is as sharp as that pair.

zì mǔ
字母
letter
dà xiě
大写
upper case
A a
xiǎo xiě
小写
lower case
apple
dān cí
单词
word

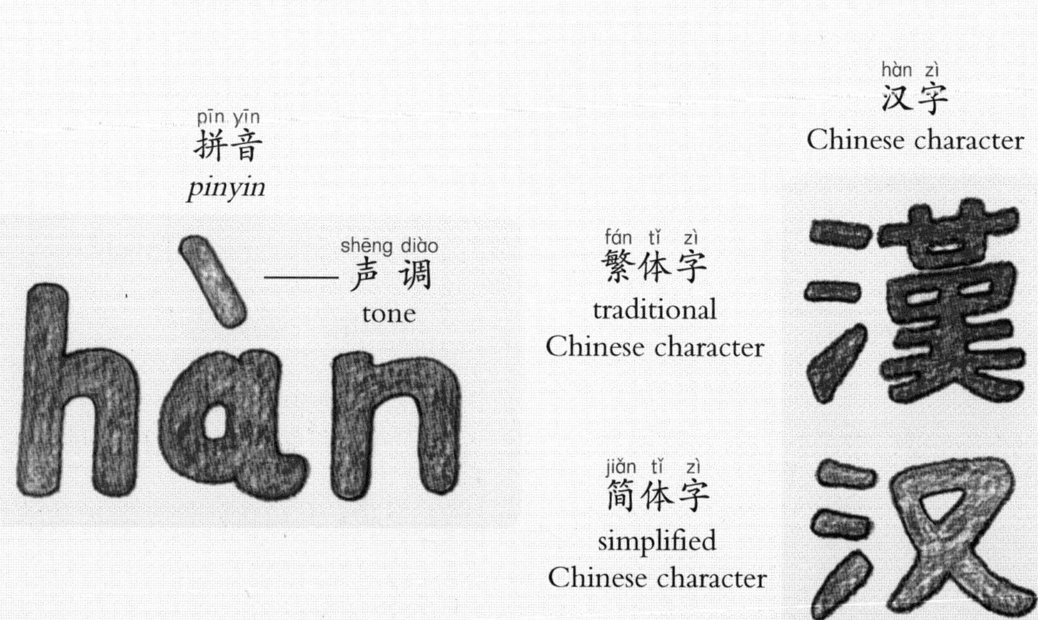
pīn yīn
拼音
pinyin
hàn
shēng diào
声调
tone
hàn zì
汉字
Chinese character
fán tǐ zì
繁体字
traditional
Chinese character
漢
jiǎn tǐ zì
简体字
simplified
Chinese character
汉

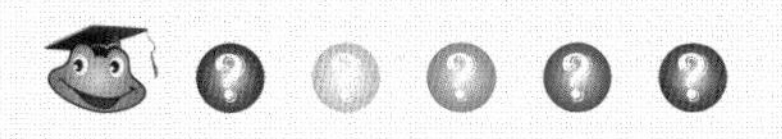

zuò wén
作文
composition

tí mù
题目
title (of an article)

jù zi
句子
sentence

duǎn yǔ
短语
phrase

duàn luò
段落
paragraph

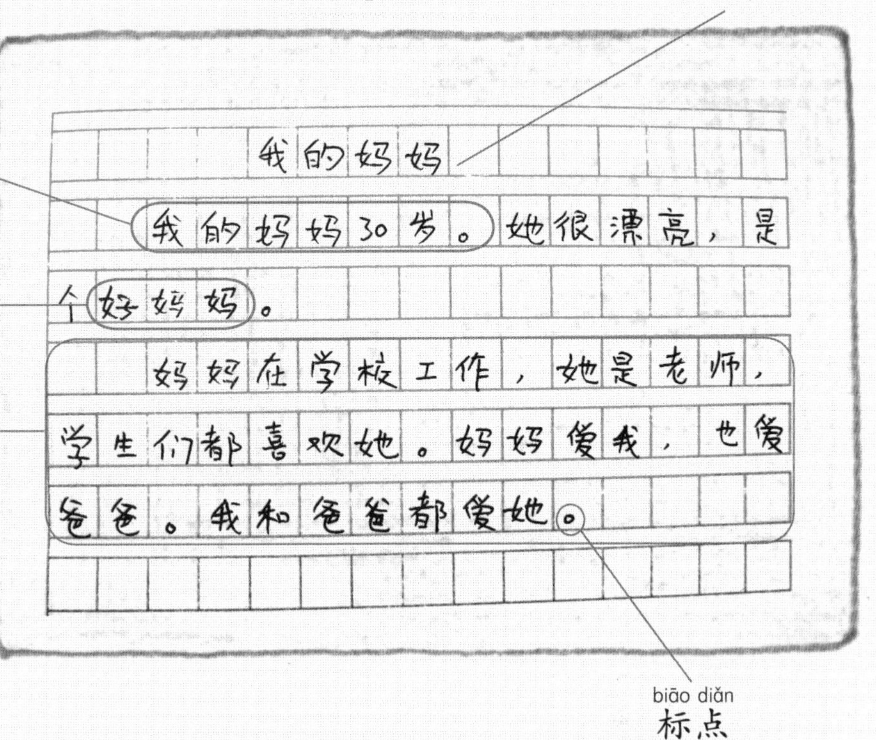

biāo diǎn
标点
punctuation

shū míng
书名
book title

zuò zhě
作者
author

Grammar Point

méi yǒu
A 没有 B…… A is not as ... as B

zhè ge jù zi méi yǒu nà ge jù zi cháng
这个句子没有那个句子长。
This sentence is not as long as that one.

zhè ge hàn zì méi yǒu nà ge hàn zì hǎo xiě
这个汉字没有那个汉字好写。
This Chinese character is not as easy to write as that one.

xǐng lái
醒来
to wake up

qǐ chuáng
起床
to get out of bed

dā xiào chē
搭校车
to catch the school bus

shàng xué
上学
to go to school

shàng kè
上课
to have class

xià kè
下课
to finish class

wǔ xiū
午休
lunch break

chī wǔ fàn
吃午饭
to have lunch

qù tú shū guǎn
去图书馆
to go to the library

jiè shū
借书
to borrow books

fàng xué
放学
to finish school

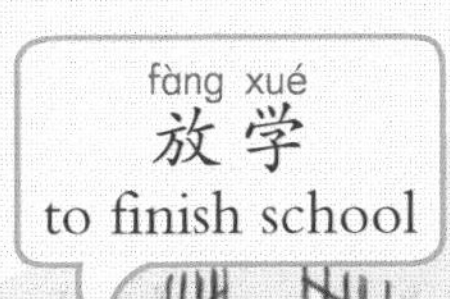

huí jiā
回家
to return home

duàn liàn
锻炼
to exercise

xiě zuò yè
写作业
to do homework

kè wài huó dòng
课外活动
extra-curricular activities

chī wǎn fàn
吃晚饭
to have dinner

bāng mā ma gàn huór
帮妈妈干活儿
to help mom do housework

wánr diàn nǎo
玩儿电脑
to play on the computer

Practice This Conversation

nǐ měi tiān wánr jǐ gè xiǎo shí diàn nǎo
—你每天玩儿几个小时电脑?
How many hours do you play on the computer every day?

wǒ měi tiān wánr sān gè xiǎo shí diàn nǎo
—我每天玩儿三个小时电脑。
I play three hours every day.

shuì jiào
睡觉
to go to bed

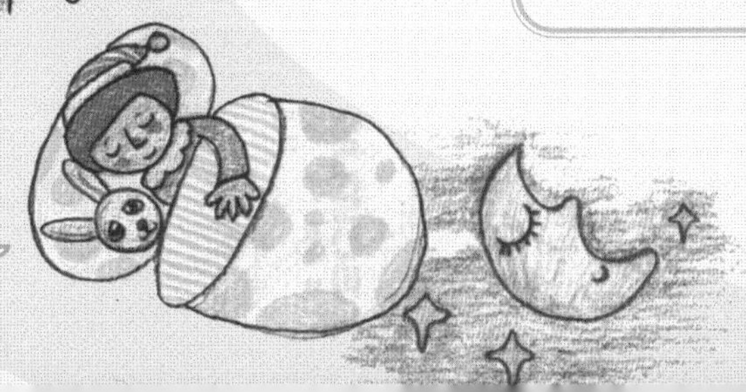

51 我的理想 *My dreams*

xiāo fáng yuán
消防员
fireman

yóu dì yuán
邮递员
postman

sī jī
司机
driver

jūn rén
军人
soldier

jiàn zhù shī
建筑师
architect

gōng chéng shī
工程师
engineer

háng tiān yuán
航天员
astronaut

kē xué jiā
科学家
scientist

yì shù jiā
艺术家
artist

lǜ shī
律师
lawyer

yīn yuè jiā
音乐家
musician

shāng rén
商人
businessman

chú shī
厨师
chef

yǎn yuán
演员
actress, actor

jiào shòu
教授
professor

gē shǒu
歌手
singer

zuò jiā
作家
writer

yùn dòng yuán
运动员
athlete

jǐng chá
警察
police officer

Practice This Conversation

nǐ zhǎng dà le yào zuò shén me
—你长大了要做什么？
What do you want to do when you grow up?

wǒ yào dāng yǎn yuán
—我要当演员。
I want to be an actor.

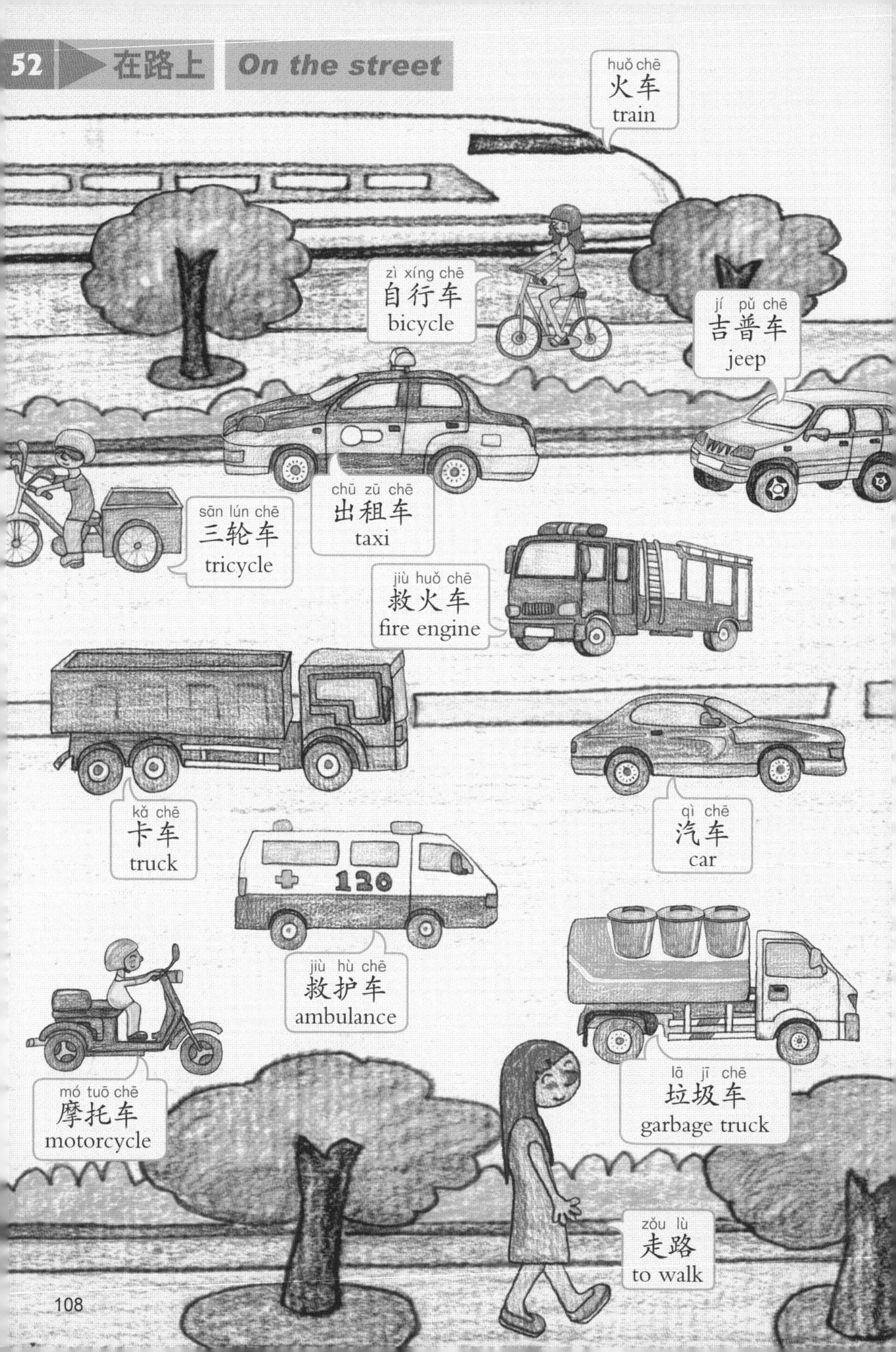
52 在路上 On the street
huǒ chē
火车
train
zì xíng chē
自行车
bicycle
jí pǔ chē
吉普车
jeep
chū zū chē
出租车
taxi
sān lún chē
三轮车
tricycle
jiù huǒ chē
救火车
fire engine
kǎ chē
卡车
truck
qì chē
汽车
car
120
jiù hù chē
救护车
ambulance
mó tuō chē
摩托车
motorcycle
lā jī chē
垃圾车
garbage truck
zǒu lù
走路
to walk

gōng gòng qì chē
公共汽车
public bus

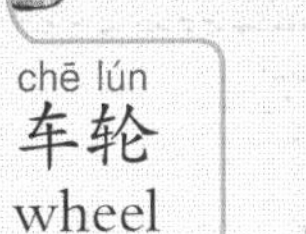

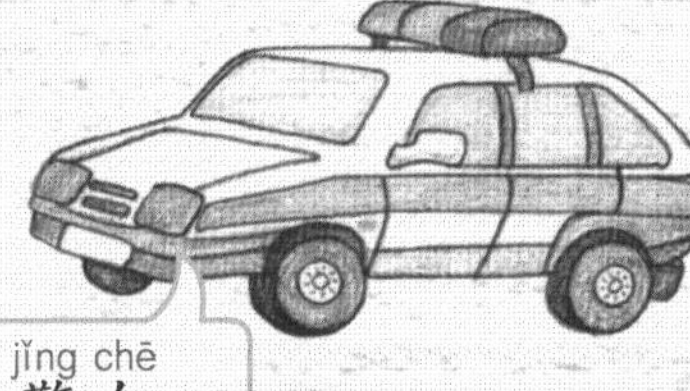

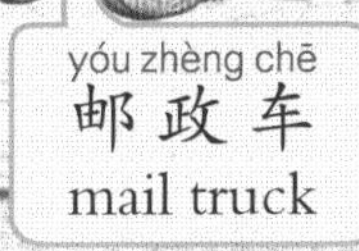

jǐng chē
警车
police car

dì tiě
地铁
subway

lún chuán
轮船 ship

lǎn chē
缆车 cable car

Practice This Conversation

nǐ bà ba měi tiān zěn me shàng bān
—你爸爸每天怎么上班？
How does your dad go to work every day?

tā měi tiān zuò gōng gòng qì chē shàng bān
—他每天坐公共汽车上班。
He goes to work by bus every day.

53 在饭店 At the restaurant

1 zhōng cān 中餐 Chinese food

2 kuài zi 筷子 chopsticks

3 wǎn 碗 bowl

4 cān jīn 餐巾 napkin

5 pán zi 盘子 plate

6 fú wù yuán 服务员 waitress, waiter

7 diǎn cài 点菜 to order (food)

8 cài dān 菜单 menu

9 bēi zi 杯子 cup

10 ér tóng cài dān 儿童菜单 children's menu

11 ér tóng yǐ 儿童椅 high chair

12 xī cān 西餐 western food

13 kā fēi 咖啡 coffee

14 chā zi 叉子 fork

15 dāo zi 刀子 knife

16 sháo zi 勺子 spoon

17 kuài cān 快餐 fast-food

18 tào cān 套餐 combo

Practice This Conversation

qǐng wèn nǐ xiǎng diǎn shén me cài
—请问你想点什么菜？
What would you like to order?

wǒ yào shí gè jiǎo zi, yì pán dòu fu, hái yào yì bēi kě lè
—我要十个饺子、一盘豆腐，还要一杯可乐。
I would like ten dumplings, a plate of tofu and a glass of coke.

1 zhū ròu 猪肉 pork

2 niú ròu 牛肉 beef

3 jī ròu 鸡肉 chicken

4 miàn fěn 面粉 flour

5 jī dàn 鸡蛋 egg

6 yú 鱼 fish

7 hǎi xiān 海鲜 seafood

8 xiā 虾 shrimp

9 guàn tou 罐头 canned food

10 gāo diǎn 糕点 pastries

11 shú shí 熟食 deli food

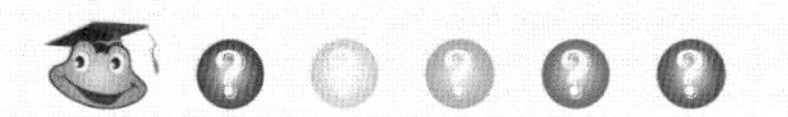

12 gòu wù chē
购物车
shopping cart

13 xìn yòng kǎ
信用卡
credit card

14 shōu yín jī
收银机
cash register

15 sù liào dài
塑料袋
plastic bag

16 shōu kuǎn yuán
收款员
cashier

17 lěng dòng shí pǐn
冷冻食品
frozen food

18 yīng ér shí pǐn
婴儿食品
baby food

Practice This Conversation

qǐng wèn yí gòng duō shao qián
—请问一共多少钱？
How much is it all together?

wǔ shí wǔ kuài qián
—五十五块钱。
Fifty five *kuai*.

gěi nǐ yì bǎi kuài
—给你一百块。
Here is a hundred *kuai*.

zhǎo nǐ sì shí wǔ kuài xiè xie
—找你四十五块，谢谢。
Your change is forty five *kuai*. Thank you.

1 fēng zheng 风筝 kite

2 fēi 飞 to fly

3 gē zi 鸽子 pigeon

4 lěng yǐn tíng 冷饮亭 cold drink stand

5 bīng jī líng 冰激凌 ice cream

6 bǎo mǔ 保姆 nanny

7 bǎo bao 宝宝 baby

8 huā tán 花坛 flower terrace

9 sàn bù 散步 to take a walk

10 diāo xiàng 雕像 statue

11 pēn quán 喷泉 fountain

12 cháng yǐ 长椅 bench

13 hé huā 荷花 water lily

14 tiān é 天鹅 swan

15 huá chuán 划船 to row a boat

16 hú 湖 lake

17 liáng tíng 凉亭 pavilion

18 dǎ tài jí quán 打太极拳 to practice *Taiji*

19 qiáo 桥 bridge

20 bào zhǐ 报纸 newspaper

21 cǎo dì 草地 lawn

22 liù gǒu 遛狗 to walk the dog

Grammar Point

yì biān …… yì biān ……
一边……一边……
indicating two actions taking place at the same time

nà ge nǚ rén yì biān liù gǒu yì biān chàng gē
那个女人一边遛狗一边唱歌。
That woman is singing while walking her dog.

nà ge xiǎo hái yì biān sàn bù yì biān chī bīng jī líng
那个小孩一边散步一边吃冰激凌。
That kid is eating ice cream while walking.

56 在郊外 *In the countryside*

1 lǎo yīng
老鹰
eagle

2 dēng shān
登山
to hike (in the hills)

3 hú dié
蝴蝶
butterfly

4 xiǎo xī
小溪
brook

5 mì fēng
蜜蜂
bee

6 shāo kǎo
烧烤
barbecue

7 sōng shǔ
松鼠
squirrel

8 piáo chóng
瓢虫
ladybug

9 mǎ yǐ
蚂蚁
ant

10 zhī zhū
蜘蛛
spider

11 māo tóu yīng 猫头鹰 owl

12 niǎo 鸟 bird

13 diào yú 钓鱼 to fish

14 shù 树 tree

15 qīng tíng 蜻蜓 dragonfly

16 cǎo 草 grass

17 shí tou 石头 stone

18 qīng wā 青蛙 frog

19 shuǐ hú 水壶 water bottle

20 yě cān 野餐 picnic

Grammar Point

bú shì …… jiù shì ……
不是……就是……
either... or...

zhōu mò tā bú shì qù diào yú jiù shì qù dēng shān
周末他不是去钓鱼就是去登山。
On the weekend he either goes fishing or goes hiking.

nà bú shì lǎo yīng jiù shì māo tóu yīng
那不是老鹰就是猫头鹰。
That is either an eagle or an owl.

57 在农场 On the farm

1 liáng cāng 粮仓 granary

2 guǒ shù 果树 fruit tree

3 guǒ yuán 果园 orchard

4 shōu gē jī 收割机 harvester

5 niú 牛 ox

6 yáng 羊 goat

7 tuō lā jī 拖拉机 tractor

8 lǘ 驴 donkey

9 nóng mín 农民 farmer

10 nóng tián 农田 farmland

11 zhū 猪 pig

12 yā zi 鸭子 duck

13 é 鹅
goose

14 chóng zi 虫子
worm

15 xiǎo jī 小鸡
chick

16 mǔ jī 母鸡
hen

17 gōng jī 公鸡
rooster

18 mǎ 马
horse

19 tù zi 兔子
rabbit

Grammar Point

zhèng zài
正在 in the progress of

mǎ zhèng zài chī cǎo
马正在吃草，
niú zhèng zài gēng dì
牛正在耕地，
yā zi zhèng zài yóu yǒng
鸭子正在游泳。

The horse is eating hay.
The ox is plowing and the duck is swimming.

bào
豹
leopard
cháng jǐng lù
长颈鹿
giraffe
dài shǔ
袋鼠
kangaroo
xióng
熊
bear
hé mǎ
河马
hippo
bān mǎ
斑马
zebra
xióng māo
熊猫
panda
shī zi
狮子
lion
è yú
鳄鱼
crocodile
xī niú
犀牛
rhino

Grammar Point

Resultative Complement

shī zi shuì zháo le　dà xiàng chī bǎo le　tuó niǎo pǎo lèi le
狮子睡着了。大象吃饱了。鸵鸟跑累了。

The lion is asleep. The elephant is full from eating.
The ostrich is tired from running.

59 在植物园 At the botanical garden

1 dīng xiāng 丁香 clove

2 hǎi táng 海棠 crabapple blossom

3 mǔ dan 牡丹 peony

4 yù lán 玉兰 *yulan* magnolia

5 méi gui 玫瑰 rose

6 jú huā 菊花 chrysanthemum

7 dù juān huā 杜鹃花 azalea

8 yù jīn xiāng 郁金香 tulip

9 yīng huā 樱花 cherry blossom

10 shuǐ xiān 水仙 narcissus

11 zǐ luó lán 紫罗兰 violet

12 yuè jì 月季 Chinese rose

13 bǎi hé 百合 lily

14 lán huā 兰花 orchard

15 kāng nǎi xīn 康乃馨 carnation

16 huā 花 flower

17 zhǒng zi 种子 seed

18 yè zi 叶子 leaf

19 jīng 茎 stem

20 gēn 根 root

Grammar Point

wú lùn hái shi dōu
无论……还是……都……

no matter... or... both...

wú lùn shì mǔ dan hái shi méi gui
无论是牡丹还是玫瑰，
wǒ dōu xǐ huan
我都喜欢。

It doesn't matter if it's a peony or a rose, I like them both.

wú lùn shì yù jīn xiāng hái shi kāng nǎi xīn
无论是郁金香还是康乃馨，
dōu hěn měi lì
都很美丽。

It doesn't matter if it's a tulip or a carnation, both are beautiful.

1 shuǐ mǔ 水母 jellyfish

2 hǎi tún 海豚 dolphin

3 jīng yú 鲸鱼 whale

4 wū zéi 乌贼 cuttlefish

5 hǎi mǎ 海马 seahorse

6 hǎi xīng 海星 starfish

7 páng xiè 螃蟹 crab

8 hǎi dǎn 海胆 sea urchin

9 hǎi zǎo 海藻 seaweed

10 shān hú 珊瑚 coral

11 zhāng yú 章鱼 octopus

12 shā yú 鲨鱼 shark

13 hǎi guī 海龟 sea turtle

14 hǎi shī 海狮 sea lion

15 hǎi bào 海豹 seal

16 sāi 鳃 gills

17 lín piàn 鳞片 scales

18 qí 鳍 fin

19 wěi 尾 tail

Practice This Conversation

zhè shì shā yú ba
—这是鲨鱼吧？
This is a shark, right?

bú duì zhè shì jīng yú
—不对，这是鲸鱼。
No. It's a whale.

1 kǒng lóng 恐龙 dinosaur

2 jì niàn pǐn shāng diàn 纪念品商店 souvenir shop

3 huà shí 化石 fossil

4 gǔ gé 骨骼 skeleton

5 zhǎn lǎn 展览 exhibition

6 biāo běn 标本 specimen

7 wàng yuǎn jìng 望远镜 telescope

8 shòu piào chù 售票处 ticket counter

9 tài kōng 太空 space

10 tài yáng xì 太阳系 solar system

11 shuǐ xīng 水星 Mercury

jīn xīng
12 金星
Venus

dì qiú
13 地球
Earth

huǒ xīng
14 火星
Mars

mù xīng
15 木星
Jupiter

tǔ xīng
16 土星
Saturn

tiān wáng xīng
17 天王星
Uranus

hǎi wáng xīng
18 海王星
Neptune

Grammar Point

yuè lái yuè
越来越
more and more

shòu piào chù de rén yuè lái yuè duō le
售票处的人越来越多了。
There are more and more people at the ticket counter.

bó wù guǎn de jì niàn pǐn yuè lái yuè guì le
博物馆的纪念品越来越贵了。
The souvenirs at the museum are getting more and more expensive.

62 在游乐场 At the amusement park
Grammar Point
lí yuǎn
离……远 far away from
lí jìn
离……近 close to
yóu lè chǎng lí dòng wù yuán bù yuǎn
游乐场离动物园不远。
The amusement park is not far away from the zoo.
zhèr lí xiǎo mài bù hěn jìn
这儿离小卖部很近。
Here is very close to the convenient store.
huá dào
滑道
water slide
pèng peng chuán
碰碰船
bumper boats
shuǐ shàng lè yuán
水上乐园
water park
huá tǐng
划艇
rowboat
piāo liú
漂流
rafting
xuán zhuǎn fēi jī
旋转飞机
astrojet
mó tiān lún
摩天轮
Ferris wheel
dǎ bǎ chǎng
打靶场
shooting gallery
xiǎo huǒ chē
小火车
miniature train

xiǎo mài bù
小卖部
convenience store
guò shān chē
过山车
roller coaster
ào mǐ huā
爆米花
opcorn
xuán zhuǎn mù mǎ
旋转木马
merry-go-round
pèng peng chē
碰碰车
bumper cars
guǐ wū
鬼屋
haunted house
tào quān
套圈
ring toss
hǎi dào chuán
海盗船
pirate ship
mù ǒu
木偶
puppet

1 gāng sī qí chē
钢丝骑车
tightrope bicycling

2 dú lún chē
独轮车
unicycle

3 cǎi gāo qiāo
踩高跷
to walk on stilts

4 kōng zhōng fēi rén
空 中 飞人
trapeze show

5 méng yǎn fēi dāo
蒙眼飞刀
blind knife throwing

6 dié luó hàn
叠罗汉
human pyramid

7 xiǎo chǒu
小 丑
clown

8 biǎo yǎn
表演
to perform

9 zǒu gāng sī
走钢丝
tightrope walking

10 mó shù shī
魔术师
magician

11 dēng guāng
灯 光
lighting

12 dào jù 道具
prop

13 biàn mó shù 变魔术
to perform magic

14 xùn shòu yuán 驯兽员
animal trainer

15 zhuàn dié 转碟
plate-spinning

16 xùn shòu 驯兽
animal show

17 wǔ tái 舞台
stage

18 gǔ zhǎng 鼓掌
to applaud

19 guān zhòng 观众
audience

Grammar Point

hái
还 still

mǎ xì biǎo yǎn hái méi kāi shǐ
马戏表演还没开始。
The circus performance still hasn't started.

guān zhòng hái zài gǔ zhǎng
观众还在鼓掌。
The audience is still applauding.

64
在海滩
At the beach
hǎi ōu
海鸥
seagull
fān chuán
帆船
sailboat
yáng sǎn
阳伞
parasol
chōng làng
冲浪
to surf
chōng làng bǎn
冲浪板
surfboard
shā tān yǐ
沙滩椅
beach chair
hǎi làng
海浪
wave
huá shuǐ
滑水
to water ski

Grammar Point

zhe
着 a particle indicating the continuation of an action or state

tā dài zhe yì dǐng tài yáng mào
他戴着一顶太阳帽。
He is wearing a sun hat.

tā ná zhe yì bǎ yáng sǎn
她拿着一把阳伞。
She is holding a parasol.

1 tài yáng 太阳 the sun

2 yáng guāng 阳光 sunshine

3 yún 云 cloud

4 cǎi hóng 彩虹 rainbow

5 wū yún 乌云 dark cloud

6 cǎi xiá 彩霞 rosy cloud

7 háng tiān fēi jī 航天飞机 space shuttle

8 huǒ jiàn 火箭 rocket

9 rén zào wèi xīng 人造卫星 man-made satellite

10 xīng zuò 星座 constellation

11 xīng xing 星星 star

12 yuè liang 月亮 the moon

13 huì xīng 彗星 comet

14 liú xīng 流星 meteor

15 yín hé 银河 the Milky Way

16 rì shí 日食 solar eclipse

17 yuè shí 月食 lunar eclipse

Grammar Point

jiù yào
就要　be about to

tài yáng jiù yào chū lái le
太阳就要出来了。
The sun is about to rise.

yuè liang jiù yào yuán le
月亮就要圆了。
The moon is about to become full.

66 天气 Weather

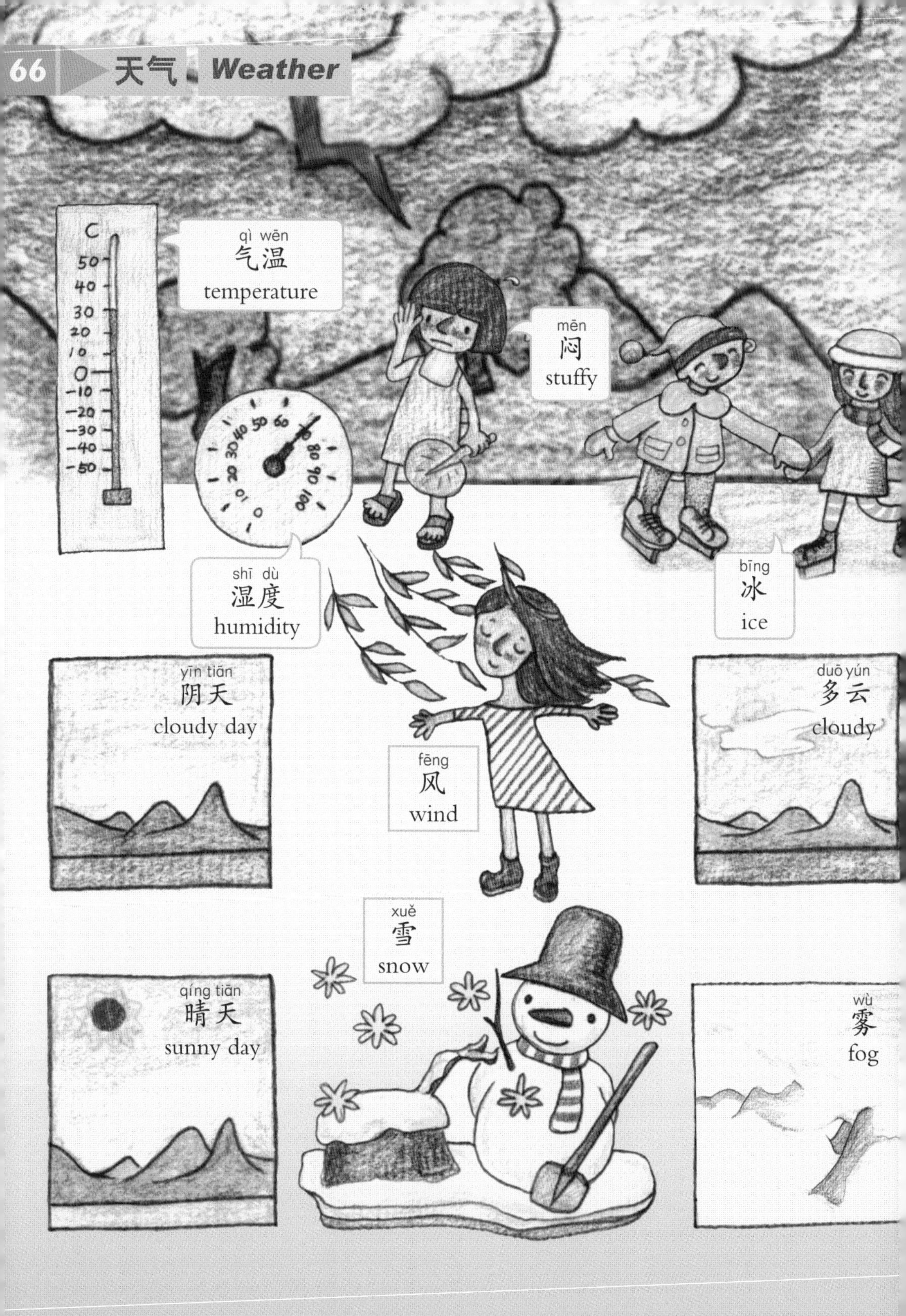

shǎn diàn
闪电
lightning
léi
雷
thunder
bào fēng xuě
暴风雪
snowstorm
shuāng
霜 frost
máo mao yǔ
毛毛雨
drizzle
Practice This Conversation
jīn tiān de tiān qì zěn me yàng
—今天的天气怎么样?
How is today's weather?
jīn tiān yǒu dà fēng qì wēn hěn dī kě néng huì xià xuě
—今天有大风，气温很低，可能会下雪。
There is a strong wind and low temperature today. It's probably going to snow.
bīng báo
冰雹
hail
yǔ
雨
rain

1 chūn tiān 春天 spring

2 bō zhǒng 播种 to sow

3 wēn nuǎn 温暖 warm

4 jiāo shuǐ 浇水 to water

5 fā yá 发芽 to sprout

6 shēng zhǎng 生长 to grow

7 huā lěi 花蕾 flower bud

8 kāi fàng 开放 to bloom

9 xià tiān 夏天 summer

10 yán rè 炎热 scorching hot

11 diàn fēng shàn 电风扇 fan

12 tài yáng jìng
太阳镜
sunglasses

13 jiù shēng yuán
救生员
lifeguard

14 jiù shēng quān
救生圈
life-saver

15 yóu yǒng chí
游泳池
swimming pool

16 yóu yǒng jìng
游泳镜
swimming goggles

17 yóu yǒng mào
游泳帽
swimming cap

18 yóu yǒng yī
游泳衣
swimsuit

Grammar Point

yòu
又 again

chūn tiān yòu lái le
春天又来了。
Spring is here again.

nóng mín yòu kāi shǐ bō zhǒng le
农民又开始播种了。
The farmers have started sowing the fields again.

1 qiū tiān 秋天 fall

2 luò yè 落叶 fallen leaves

3 jiǎn 捡 to pick up

4 tī zi 梯子 ladder

5 shōu gē 收割 to reap

6 chéng shú 成熟 ripe

7 liáng shuǎng 凉爽 cool

8 dōng tiān 冬天 winter

9 xuě rén 雪人 snowman

10 duī 堆 to pile up

11 huá xuě 滑雪 to ski

12 dǎ xuě zhàng 打雪仗 to have a snowball fight

bīng diāo
13 冰雕
ice sculpture

xuě qiāo
14 雪橇
sled

shù guà
15 树挂
icicle

huá bīng
16 滑冰
to skate

xuě huā
17 雪花
snowflake

chǎn xuě
18 铲雪
to shovel the snow

hán lěng
19 寒冷
cold

bīng huá tī
20 冰滑梯
ice slide

Grammar Point

yòu　　yòu
又……又……　both...and...

zhèr　de qiū tiān yòu liáng shuǎng yòu gān zào
这儿的秋天又凉爽又干燥。
The fall is both cool and dry here.

wǒ yòu xǐ huan huá bīng yòu xǐ huan huá xuě
我又喜欢滑冰又喜欢滑雪。
I like both ice skating and skiing.

HOLLYWOOD
luò shān jī
洛杉矶
Los Angeles
huá shèng dùn tè qū
华盛顿特区
Washington, D.C.
bā lí
巴黎
Paris
jiù jīn shān
旧金山
San Francisco
niǔ yuē
纽约
New York
lún dūn
伦敦
London
luó mǎ
罗马
Rome
bó lín
柏林
Berlin

Practice This Conversation

nǐ qù guò niǔ yuē ma
—你去过纽约吗？
Have you been to New York?

wǒ méi qù guò wǒ qù guò luò shān jī
—我没去过，我去过洛杉矶。
No, I haven't, but I've been to Los Angeles.

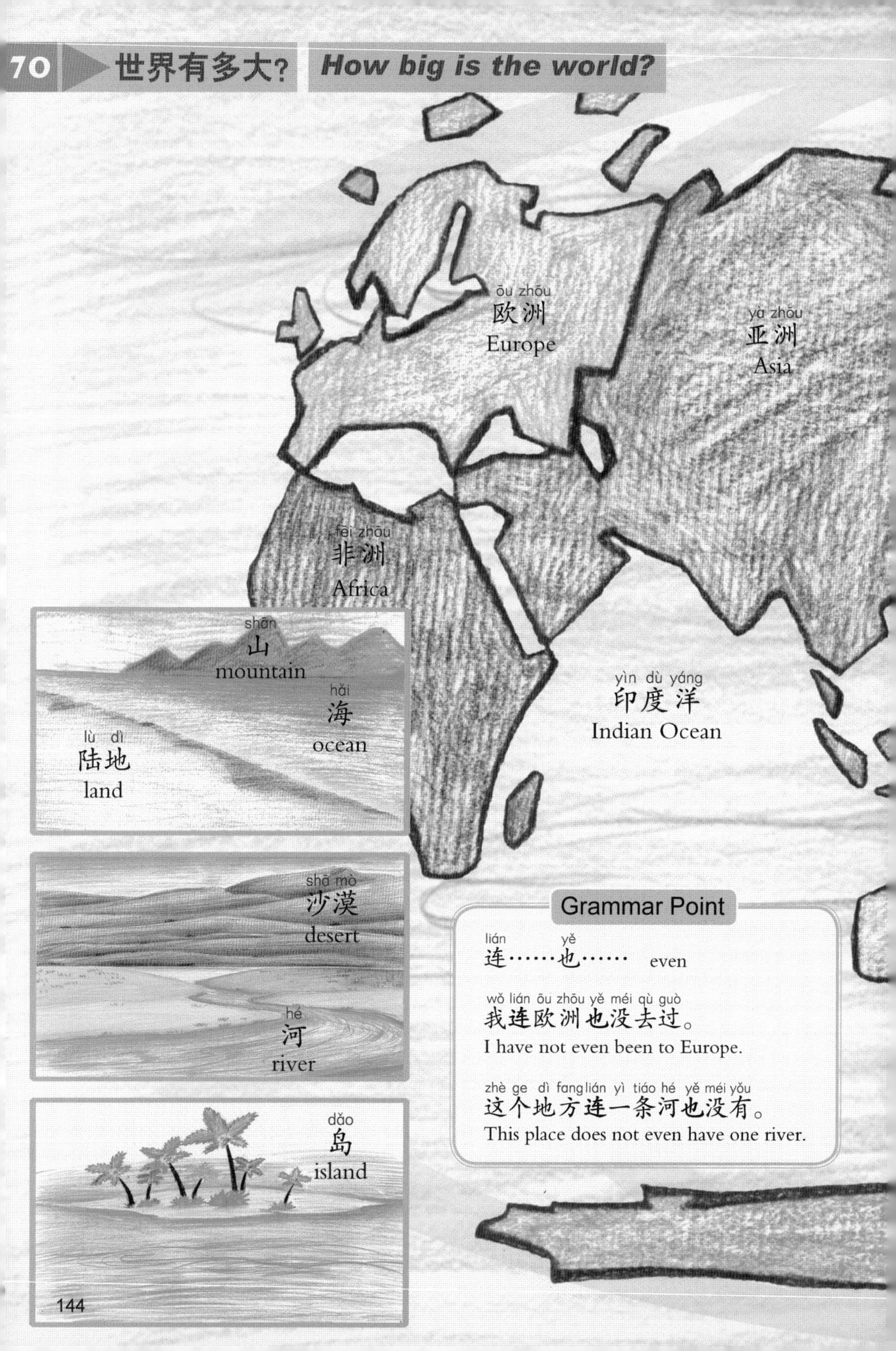

Grammar Point

lián yě
连……也…… even

wǒ lián ōu zhōu yě méi qù guò
我连欧洲也没去过。
I have not even been to Europe.

zhè ge dì fang lián yì tiáo hé yě méi yǒu
这个地方连一条河也没有。
This place does not even have one river.

běi jí
北极
North Pole
běi bīng yáng
北冰洋
Arctic Ocean
běi měi zhōu
北美洲
North America
tài píng yáng
太平洋
Pacific Ocean
dà xī yáng
大西洋
Atlantic Ocean
nán měi zhōu
南美洲
South America
dà yáng zhōu
大洋洲
Oceania
nán jí zhōu
南极洲
Antarctica
nán jí
南极
South Pole

词表 Word list

A

English	Pinyin	Chinese	Page
academic building	jiào xué lóu	教学(學)楼(樓)	86
across from the coffee shop	zài kā fēi guǎn duì miàn	在咖啡馆(館)对(對)面	70
actor	yǎn yuán	演员(員)	107
actress	yǎn yuán	演员(員)	107
addition	jiā fǎ	加法	94
address	zhù zhǐ	住址	6
Africa	fēi zhōu	非洲	144
afternoon	xià wǔ	下午	61
age	nián líng	年龄(齡)	6
air conditioner	kōng tiáo	空调(調)	9
airplane	fēi jī	飞机(飛機)	109
airport	fēi jī chǎng	飞机场(飛機場)	26
alarm clock	nào zhōng	闹钟(鬧鐘)	15
album	zhuān jí	专辑(專輯)	97
algebra	dài shù	代数(數)	95
ambulance	jiù hù chē	救护(護)车(車)	108
American football	gǎn lǎn qiú	橄榄(欖)球	98
American people	měi guó rén	美国(國)人	29
angle	jiǎo	角	58
angry	shēng qì	生气(氣)	40
animal hospital	shòu yī yuàn	兽(獸)医(醫)院	24
animal show	xùn shòu	驯兽(馴獸)	131
animal trainer	xùn shòu yuán	驯兽员(馴獸員)	131
answer	huí dá	回答	93
ant	mǎ yǐ	蚂蚁(螞蟻)	116
Antarctica	nán jí zhōu	南极(極)洲	145
appearance	zhǎng xiàng	长(長)相	30
applaud	gǔ zhǎng	鼓掌	131
apple	píng guǒ	苹(蘋)果	46
apricot	xìng	杏	46
April	sì yuè	四月	62
a quarter of an hour	yí kè zhōng	一刻钟(鐘)	60
a quarter past six	liù diǎn yí kè	六点(點)一刻	61
a quarter to seven	chà yí kè qī diǎn	差一刻七点(點)	61
architect	jiàn zhù shī	建筑(築)师(師)	106
Arctic Ocean	běi bīng yáng	北冰洋	145
area	miàn jī	面积(積)	95
arm	gē bo	胳膊	33
art	měi shù	美术(術)	91
artist	yì shù jiā	艺(藝)术(術)家	106
Asia	yà zhōu	亚(亞)洲	144
ask a question	tí wèn	提问(問)	93
astrojet	xuán zhuǎn fēi jī	旋转(轉)飞(飛)机(機)	128
astronaut	háng tiān yuán	航天员(員)	106
athlete	yùn dòng yuán	运动员(運動員)	107
Atlantic Ocean	dà xī yáng	大西洋	145
audience	guān zhòng	观众(觀衆)	131
auditorium	lǐ táng	礼(禮)堂	87
August	bā yuè	八月	62

B

C

D

E

G

H

I

J

K

L

M

N

P

Q

R

English	Pinyin	Chinese	Page
Thanks.	xiè xie	谢谢(謝謝)。	76
Thanksgiving	gǎn ēn jié	感恩节(節)	83
That's all right.	méi guān xi	没关(關)系(係)。	77
the day after tomorrow	hòu tiān	后(後)天	63
the day before yesterday	qián tiān	前天	62
The Little Mermaid	měi rén yú	美人鱼(魚)	80
them	tā men	他们(們)	7
the Milky Way	yín hé	银(銀)河	135
the moon	yuè liang	月亮	135
there	nàr	那儿(兒)	70
the sun	tài yáng	太阳(陽)	134
they	tā men	他们(們)	7
thick	hòu	厚	65
thin	shòu	瘦	30
thin	báo	薄	65
third	dì sān	第三	53
thirty	sān shí	三十	53
three	sān	三	52
three books	sān běn shū	三本书(書)	54
three cars	sān liàng chē	三辆(輛)车(車)	55
three horses	sān pǐ mǎ	三匹马(馬)	55
three leaves	sān piàn yè zi	三片叶(葉)子	54
three pieces of cheese	sān kuài nǎi lào	三块(塊)奶酪	54
three tickets	sān zhāng piào	三张(張)票	54
throw	rēng	扔	35
Thumbelina	mǔ zhǐ gū niang	拇指姑娘	80
thunder	léi	雷	137
Thursday	xīng qī sì	星期四	63
ticket counter	shòu piào chù	售票处(處)	126
tiger	lǎo hǔ	老虎	121
tight	jǐn	紧(緊)	64
tightrope bicycling	gāng sī qí chē	钢丝骑车(鋼絲騎車)	130
tightrope walking	zǒu gāng sī	走钢(鋼)丝(絲)	130
title (of an article)	tí mù	题(題)目	103
today	jīn tiān	今天	63
toe	jiǎo zhǐ	脚趾	33
tofu	dòu fu	豆腐	48
toilet	mǎ tǒng	马(馬)桶	74
toilet paper	wèi shēng zhǐ	卫(衛)生纸(紙)	74
Tokyo	dōng jīng	东(東)京	143
tomato	xī hóng shì	西红(紅)柿	44
tomorrow	míng tiān	明天	63
tone	shēng diào	声调(聲調)	102
tongue	shé tou	舌头(頭)	33
toothbrush	yá shuā	牙刷	74
toothpaste	yá gāo	牙膏	74
touch	mō	摸	35
towel	máo jīn	毛巾	74
toy	wán jù	玩具	16
toy store	wán jù diàn	玩具店	71
tractor	tuō lā jī	拖拉机(機)	118
traditional Chinese character	fán tǐ zì	繁体(體)字	102
traffic light	hóng lǜ dēng	红绿灯(紅綠燈)	68
traffic police	jiāo tōng jǐng chá	交通警察	68

U

V

W

Y

Z

图书在版编目（CIP）数据

汉语图解小词典：英语版／（美）吴月梅编.—北京：商务印书馆，2009(2014.9重印)
ISBN 978-7-100-06727-0

I. 汉… II. 吴… III. 汉语－对外汉语教学－图解词典
IV. H195-61

中国版本图书馆CIP数据核字（2009）第127304号

HÀNYǓ TÚJIĚ XIǍO CÍDIǍN
汉 语 图 解 小 词 典
吴月梅 编

商 务 印 书 馆 出 版
（北京王府井大街36号 邮政编码 100710）
商 务 印 书 馆 发 行
北京中科印刷有限公司印刷
ISBN 978-7-100-06727-0

2009年8月第1版 开本 787×1092 1/16
2014年9月北京第4次印刷 印张 11
定价：98.00元